maggie
voyageuse au long cours

Titre original :

SHE, THE ADVENTURESS

Aux braves voyageurs,
Sarah et Harris Crayder

Une production de l'Atelier du Père Castor

DOROTHY CRAYDER

maggie
voyageuse au long cours

traduit de l'américain par
ROSE-MARIE VASSALLO

illustrations de
FRANÇOIS DAVOT

castor poche flammarion

Dorothy Crayder, l'auteur, est née à New York, où elle a passé toute son enfance. Elle est l'auteur de nombreux romans, nouvelles et scénarios, dont certains ont été adaptés à la radio ou à la télévision.

Dorothy Crayder est mère d'une petite fille et aime beaucoup écrire pour les enfants et les adolescents.

Du même auteur :

Maggie et les trois suspects – Castor Poche nº 80

Rose-Marie Vassallo, la traductrice, vit en Bretagne, près de la mer, avec son mari et ses quatre enfants, grands dévoreurs de livres.

« Lorsqu'on vient de lire un livre et d'y prendre plaisir, dit-elle, on éprouve le désir de le propager. Et l'on s'empresse de le prêter à qui semble pouvoir l'aimer. Mon travail de traductrice ressemble à cette démarche : j'essaie par là, tout simplement, de partager ce qui m'a plu. »

« Si le récit de Maggie m'a conquise, c'est, je crois, pour deux raisons essentielles : d'abord, il est cocasse d'un bout à l'autre, et d'un humour dans lequel je me suis tout de suite sentie chez moi; ensuite, quand je l'ai refermé, j'ai été tout étonnée de me retrouver sur la terre ferme. Pour un peu, j'étais prête à raconter aux amis ma propre croisière sur le Toscana... Bref, l'impression de rentrer de vacances. »

François Davot, l'illustrateur, a été instituteur durant dix années. Depuis trois ans, il se consacre entièrement à l'illustration. Il a illustré plusieurs Albums du Père Castor et neuf titres de la collection Castor Poche.

Marié, il est père de deux garçons et habite avec Monique, sa femme, institutrice dans une petite ville à côté de Troyes.

Maggie, voyageuse au long cours :

Maggie, dont les douze ans n'ont jamais connu d'autres horizons que ceux de Tilton, dans l'état de l'Iowa, aux Etats-Unis, s'embarque bien malgré elle dans une traversée de l'Atlantique en solitaire... En solitaire? Pas vraiment puisqu'elle embarque sur un paquebot. Mais elle voyage seule, toute seule, vers cette Europe inconnue où l'a invitée une tante. Et pour Maggie, qui n'est pas précisément téméraire, et dont l'imagination galopante a tôt fait d'entrevoir des tornades, ouragans, naufrages et autres catastrophes maritimes, ces dix jours de traversée semblent bien être la mer à boire...

Mais d'un autre côté, c'est l'Aventure, la grande; et Maggie tient bon la barre, entre deux émotions, un coup de tabac, et trois ou quatre coups de vent de panique. Finalement, voyager seule, d'un continent à l'autre, en « mineur non accompagné » ce n'est pas si détestable. C'est même parfois franchement drôle...

Chapitre premier

Et voilà Maggie devenue globe-trotter. Ou peut-être globe-trotteuse? Non, exploratrice. Ou plutôt non, voyageuse au long cours.

Naturellement, Maggie, ce n'est pas tout à fait le prénom idéal pour une voyageuse au long cours. Mais de toute manière, il faut faire avec. Et n'empêche que Maggie est en route, seule, pour la grande aventure, dans un taxi dont le chauffeur a tout à fait l'allure d'un hippie. Maggie transite, pour le moment, quelque part entre Kennedy Airport (l'aéroport de New York) et le paquebot transatlantique qui est censé l'emmener – à condition qu'il n'aille pas faire naufrage, on ne sait jamais, dans une tempête, ou à la suite d'une collision avec un autre navire, ou de Dieu sait quoi d'autre qu'elle n'a pas encore eu le temps d'imaginer – bref, le paquebot qui est censé l'emmener jusqu'à Gênes, Italie (Europe).

Europe? Depuis l'Iowa (USA)? Bigre, si ce n'est pas là un voyage au long cours, dites voir un peu ce que vous entendez par là!

Il faut avouer aussi que Maggie est plutôt petite et maigrichonne pour une voyageuse au long cours. Et dans la touffeur de ce jour de juin, enchiffonné d'une brume de chaleur, il lui semble rétrécir de minute en minute.

Il faut reconnaître, en plus, qu'elle n'en mène pas large; à tel point que, pour le moment, elle mijote d'entrer en conversation avec ce chauffeur-hippie. Ce n'est pas qu'il lui inspire tellement confiance, mais bavarder un peu lui ferait du bien. Finalement, il faut bien le dire, suivre toutes les péripéties du voyage en se mettant en scène à la troisième personne (« Maggie, voyageuse au long cours »), ce n'était pas une si bonne idée que ça. Maggie voyait là, pourtant, le meilleur moyen de vivre cette aventure – une aventure qu'à vrai dire elle n'a jamais demandé à vivre. A parler franc, pour Maggie, l'aventure, ça se déguste au cinéma ou à la télé, ou à la rigueur dans un bon livre, tout en picorant du popcorn. En vérité, tiens, du pop-corn, si elle en avait, à l'instant même, elle se sentirait sûrement mieux!

Maggie se pencha en avant et s'adressa résolument à l'impressionnante tignasse.

– Bon sang, ça doit être le paysage le plus moche du monde. Jamais pensé qu'il pouvait exister quelque chose d'aussi moche. Quand même. La ville la plus riche du monde! Elle devrait pouvoir soigner un peu son apparence, non?

– Et d'où viens-tu, toi?

– De l'Iowa. D'une pauvre petite ville à la noix dont personne n'a jamais entendu parler. Et j'habite dans une vieille petite maison à la noix. Mais chez nous, les maisons à la noix sont quand même pas si moches et si minables qu'ici. Jamais rien vu d'aussi mal fichu qu'ici. De la vraie camelote.

– Et tu vas où comme ça?

– En Italie.

– Ça ne m'a pas l'air d'un voyage à la noix, ça, dis donc.
– Comment ça? Vous voulez dire que je dois être riche comme Crésus?
– Je veux simplement dire que tu ne dois pas être fauchée comme les blés.
– Fauchée comme les blés, peut-être pas, mais on tire drôlement le diable par la queue chez nous. Papa dit toujours qu'un journal devrait faire une étude sur nous parce qu'on vit uniquement sur des bons de réduction, des retours de consigne, des timbres-épargne de toutes les couleurs de l'arc-en-ciel, des offres spéciales et des trucs comme ça. Non non, c'est ma tante Yvonne qui me paye ce grand beau voyage. En vrai, elle s'appelle pas Yvonne (c'était son nom de scène) et c'est pas vraiment une cantatrice d'opéra (elle n'a jamais chanté que dans les chœurs), mais c'est quand même pour ça qu'elle habite en Italie et qu'elle a horreur de tout ce qui fait un peu camelote – de tout ce qui est moche et minable, quoi! Et c'est ma tante Harriet qui paye pour le taxi.
– J'espère qu'Harriet m'a prévu un bon petit pourboire.
– J'espère aussi. Quinze dollars, ça ira?

– Faudra bien. C'est un peu juste.

Maggie se renversa contre le dossier de son siège.

– Ah bon.

Mais elle revint bientôt à la charge.

– Je ne vous ennuie pas, j'espère, à bavarder comme ça?

– Bah, nous avons l'habitude. Nous autres, chauffeurs de taxi, nous sommes de véritables psychiatres malgré nous. Les tarifs ont beau avoir augmenté, ça met quand même l'heure de divan moins chère que partout ailleurs. Les psychiatres se plaignent que nous leur faisons de la concurrence déloyale.

– Nom d'un chien! Ce que je peux avoir la trouille!

– De quoi?

– De tout. J'en ai peut-être pas l'air, comme ça, à me voir, mais je suis drôlement timide. Et puis je ne suis encore jamais allée nulle part. Toute seule, en plus. Absolument toute seule. Vous êtes déjà allé dans un paquebot, vous?

– Moi? Non, jamais. Pas même pris le ferry pour State Island.

– Ben, moi non plus. Je suis allée en voiture, en train, en bus, en bicyclette, en canoë, en avion (aujourd'hui, justement),

mais je n'ai jamais pris ni le métro ni le bateau.
– Le métro, tu peux t'en passer.
– Bien obligée. En plus, je ne connais personne qui soit allé en bateau, sauf ma tante Yvonne, et encore je ne la connais même pas.
– Ah bon?
– Non, et ça aussi ça me fait peur. Elle était en Italie avant que je sois née.

Une pancarte venait d'apparaître vaguement dans la brume.
– Avenue des Bijoux? Ouaf, elle est bien bonne! Une pauvre rue à la gomme, l'« avenue des Bijoux »!... Ben... Ben v'là aut'chose!
– Quoi donc encore?
– Tous ces morts! Les pauvres! Jamais vu tant de croix d'un coup de toute ma vie! Permettez que je ferme les yeux? Vous me préviendrez, s'il vous plaît, quand on aura passé cet horrible cimetière géant?
– Bien sûr. Seulement, il faut que je te dise, ce n'est qu'un minicimetière. Les vrais, grandeur nature, ils sont un peu plus loin.

L'ennui, c'est que fermer les yeux donnait le tournis à Maggie. Mais qu'est-ce qui ne lui donnait pas le tournis, aujourd'hui ? Pour le trajet en avion, d'accord, tout avait été parfait. L'hôtesse s'était montrée délicieusement gentille, exactement comme dans les films publicitaires, et l'énorme glace fraise-vanille-chocolat absorbée en guise de déjeuner était finalement bien passée, en dépit de tout ce qu'avait pu dire la dame du siège d'à côté sur l'hygiène alimentaire mal comprise et les erreurs diététiques. (S'il y avait une chose que Maggie acceptait volontiers d'oublier durant ce voyage, c'était bien les conseils maternels.) Et puis, tout le restant du vol, Maggie avait dormi, parce qu'elle n'avait pas fermé l'œil la nuit d'avant.

Mais à Kennedy Airport, la tête avait commencé de lui tourner. Il lui avait fallu récupérer ses bagages, câbler à ses parents que tout allait bien, et se trouver un taxi. Et c'était beaucoup plus compliqué qu'il n'y paraissait. Pour commencer, ce dispositif qui vous rend vos bagages s'était mis à tourner, à tourner, faisant défiler sans fin des quantités de bagages inconnus, et jamais les siens. Et le manège de ce tapis roulant, s'ajoutant au tracas de ne pas voir apparaître son sac, avait donné à Maggie un insurmontable tournis. Si bien que pour finir, lorsque son sac avait enfin surgi, elle avait empoigné celui d'à côté! La propriétaire du sac en question avait déployé tant de courtoisie que Maggie ne s'en était sentie que plus confuse encore. Le sac qu'elle avait failli s'approprier était tellement chic, tellement bien coupé! Le sien faisait camelote, à côté. C'était un vieux sac que trimballait déjà sa mère du temps où elle était étudiante! Difficile de mieux faire, en matière de vieux truc démodé!

Là-dessus, quand elle avait voulu envoyer son télégramme, tout en transbahutant son grand sac, elle avait eu un mal fou à trouver le guichet, parce que c'était mal balisé. Etait-elle donc la seule personne au monde à vouloir expédier un télégramme (un tout petit, en plus, juste pour dire BIEN ARRIVÉE; comme s'ils ne devaient pas le savoir très vite, de toute façon, si tel n'était pas le cas!)?

– Ça y est, tu peux rouvrir les yeux.

Elle les rouvrit – sur un paysage désolé, uniquement composé de cheminées d'usines, de cimetières ou de bâtiments à la gomme. Pas d'arbres, pas d'herbe, pas un piéton. Rien que des types au volant de leur voiture, ou de leur bus, ou de leur semi-remorque, très occupés à tournevirer autour d'échangeurs, à s'enfoncer dans des tunnels, à s'engager sur des viaducs, des bretelles de dégagement. Rien d'étonnant si l'on mourait beaucoup dans des endroits pareils.

– Vous voulez que je vous dise ? J'ai bien failli mourir de peur.

– Quand ? Maintenant, là ? Dans mon taxi ?

– Non non. Je trouve que vous conduisez très bien. Non, là-bas, à l'aéroport.

– Allons, bon. Et pourquoi ?

– J'ai failli perdre mon passeport.

– Houlà ! Ça, c'est grave.

– Un peu, tiens ! C'est d'ailleurs écrit noir sur blanc dans le passeport lui-même, par le Département d'Etat des USA, alors ! « En cas de perte, vol ou destruction du présent document, le titulaire doit en informer immédiatement... » je ne sais plus trop quoi, et « il ne sera délivré de nouveau passeport qu'après enquête... » du je ne sais plus trop quoi. D'ailleurs ma mère me l'a répété au moins cinquante fois : « Quoi qu'il arrive, surtout, SURTOUT, ne perds pas ton passeport. » Et voilà; ça a bien failli m'arriver. Et devinez quand? Juste au moment où je tâchais de lui envoyer un télégramme pour lui dire que tout allait bien! Oui, il est tombé par terre. Des télégrammes, faudra que je lui en envoie encore deux autres : un depuis le bateau, pour dire que je suis à bord, et un autre depuis Gênes, pour dire que Tante Yvonne est bien venue me chercher. Enfin, je l'espère. Trouvez pas que c'est fantastique d'avoir à envoyer tous ces câbles?

– Et... qui les paye?

– Maman. Avec ses gains au poker. Elle joue au poker, ma mère. Et drôlement bien.

– Tiens, c'est intéressant.

– Pourquoi, intéressant?

– Ce n'est pas tous les jours qu'on prend en charge quelqu'un dont la mère joue drôlement bien au poker.

Maggie se rembrunit. Si elle n'était même pas plus intéressante que sa propre mère...

– Ah oui? Et c'est tous les jours, j'imagine, que vous prenez en charge quelqu'un de mon âge qui s'en va en Italie, comme ça, sans personne, par paquebot? Quel-

qu'un qui est ce qu'on appelle une « mineure non accompagnée »?
– Hmm... Pas que je me souvienne. Mais la semaine dernière, par contre, j'ai pris un gamin qui venait de gagner quarante-neuf dollars au bingo*.
– Vous avez la passion du jeu, on dirait.
– Tous les jeux de hasard me fascinent.
– Ah bon? C'est pas un peu bizarre, pour un hippie?
– Qui a dit que j'étais un hippie?
Il n'avait pas l'air précisément charmé de l'appellation.
– Euh, pardon, mais je croyais...
– Tu croyais qu'il suffisait d'une barbe et d'une tignasse un peu longue pour faire un hippie d'un licencié en sociologie?
– Bigre! Vous êtes li...
– Tu vois? Tu viens de recevoir ta première leçon de grande voyageuse : il n'y a pas que les princes qui circulent incognito, et pas non plus que les types de Scotland Yard. Beaucoup de gens ne sont pas ce qu'ils ont l'air d'être.
– Oh! mais ça, je le sais. D'ailleurs, j'ai bien l'intention d'ouvrir l'œil. Les es-

* Bingo : jeu de hasard.

pions internationaux, les trafiquants, les grands tricheurs au poker, tout ça, il y en a plein les paquebots. C'est bien connu.
– C'est bien connu. Tâche d'avoir l'œil.

Quelques trouées vertes venaient d'apparaître dans le paysage : un pré, quelques arbres, deux ou trois constructions étranges, dont l'une ressemblait à un énorme champignon, avec un pied en colonne, ainsi qu'une immense représentation du globe terrestre.

– De vieux restes de l'Exposition universelle, expliqua le licencié en sociologie, devançant sa question.

– Mais pourquoi ce pauvre globe terrestre a-t-il l'air si miteux?

– C'est la pollution atmosphérique. Un véritable symbole prophétique. Voilà à quoi ressemblera notre globe avant deux ou trois ans. Tiens, si j'étais toi, je me gaverais de beauté, là-bas, en Italie – tant qu'il en reste.

– C'est bien ce que je compte faire. (Il y eut un silence.) Si j'arrive jusque là-bas. Et si ma tante Yvonne est là pour m'accueillir. Bon sang! Et si elle n'y est pas? Si elle n'y est pas, qu'est-ce que je deviens, moi?

– Ecoute, voyons, ne te tourmente donc

pas! Tout ira comme sur des roulettes. Ta tante Yvonne sera là pour te cueillir, et tu seras fraîche comme une rose. La plus chouette des nièces.
– Chouette, moi? (Nouveau silence.) Avec les cheveux que j'ai?
– Allons bon, qu'ont-ils à se reprocher, tes cheveux?
– Vous parliez d'incognito, tiens, justement. Peut-être que vous vous figurez que j'ai les cheveux naturellement plats, hein? Combien je parie?
– Oui, évidemment.
– Eh bien, vous avez perdu. Je suis obligée de mettre des rouleaux, autrement ils frisent. Et même – ça, ma mère ne le sait pas – souvent, avec ma meilleure amie, Diane, on se les passe au fer à coiffer pour les aplatir encore plus. Les vôtres, bon, d'accord, ils sont affreux, mais quelle importance? Tandis qu'une fille! Vaudrait mieux être morte que d'avoir les cheveux frisés, je vous jure! Et vous imaginez ce qui va se produire sur le bateau? Avec l'air de la mer?
– Non, mais en tant que sociologue, je suis vivement intéressé.
– Ils vont se remettre à onduler et à devenir tout bouclés!

– Mais ça m'a l'air tout à fait joli. Bien comme les miens.
– Oui, d'accord, pour un garçon – et d'ailleurs non, même pas pour un garçon. Et s'ils se mettent à frisotter pour de bon, hein?
– Et alors? Tu n'auras qu'à les porter à l'afro. Ecoute, petite, je vais te dire : il ne faut pas paniquer comme ça pour un rien. Faudrait voir à mûrir un peu, et à élargir ton horizon.
– Je sais. Je ne suis pas comme ça, d'habitude.

Ça, c'était vrai. Pas plus tard que la semaine d'avant, Maggie, faisant montre d'un sang-froid exemplaire, avait été l'héroïne du pique-nique de l'Amicale des pompiers : c'était elle qui avait sauvé le gâteau à la fraise que des guêpes tentaient de prendre d'assaut, alors que tous ses camarades, pris de panique, agissaient en dépit du bon sens. Oui, c'était elle qui avait fait montre du plus de flegme et de présence d'esprit l'autre jour...

Seulement, les jours se suivent et ne se ressemblent pas.
– Oh! la la! Miséricorde au bout d'une corde!

– Hein? Je te l'avais dit, non?

Ils longeaient à présent un cimetière aussi vaste qu'un océan, à croire qu'on avait enterré là toutes les populations de la terre. Un cimetière sans fin.

– S'il vous plaît, vous pourrez me prévenir quand...

– Bien sûr. Mais tu sais, il y en a pour un bon bout de temps, et tu ne voudrais tout de même pas manquer la première apparition de New York, non?

– Euh, non, 'videmment. Bon. Alors je vais regarder droit devant.

– Voilà, c'est ça. C'est bien d'avoir du cran comme ça.

Et bientôt, dans les brumes du lointain, Maggie crut les voir se profiler... Mais oui, c'était eux – les grands gratteciel de New York, tels qu'on les voit dans les albums, au cinéma, à la télé.

– Plutôt excitant, non?

– Fichtre!

– Et même terriblement excitant.

– Diable diable!

– Alors, que penses-tu de notre horizon?

Maggie pouffa. C'était la première fois depuis un bon bout de temps.

– Ouaff, je la connais! C'est la première

question que posaient les reporters, jadis, à toutes les célébrités qui débarquaient à New York.

– Exact. Tu as de la culture, à ce que je vois.

– Oh, en réalité, pas tant que ça. Je veux dire, pas tant que je devrais, pour une fille de prof d'anglais. Mais j'aime bien les romans policiers. Pfouu! Il fait de plus en plus chaud, vous ne trouvez pas?

– Ouais; ça va tonner, sans doute.

– Oooh!

– Quoi? Tu ne vas tout de même pas me dire qu'une fille du Midwest a peur des orages, si?

– Ben, je sais pas trop. Quelquefois j'en ai peur, et quelquefois pas. Oui mais s'il y avait un orage en mer, hein?

– Un orage en mer? Qu'est-ce que ça donne, un orage en mer?

– Tiens! Qui est-ce qui a besoin de mûrir un peu et d'élargir son horizon, maintenant? Un orage en mer, ça donne une tornade, ou un ouragan, une tempête, quoi! Et ce n'est pas drôle du tout. C'est même souvent plutôt terrible.

– Et qui a parlé d'ouragan?

– Diane, ma meilleure amie. Elle me

déteste. Elle a dit que c'était la saison des tempêtes, et qu'il y avait de grandes chances pour qu'on en ait au moins une.

Le licencié en sociologie médita là-dessus un moment, le temps de doubler successivement un camion de pommes de terre, une bétonnière et une pelleteuse dans le même mouvement.

– Cette Diane – ta meilleure amie – serait-elle météorologue?

– Non, mais elle adore parler du temps. Les tempêtes, les orages, les cyclones, les ouragans, elle en est dingue.

– Eh! C'est bien ça, un météorologue : un passionné des intempéries.

– Ah! bon.

– Mais non, va, je plaisante! Je dis ça parce qu'un météorologue est censé savoir tout ce qui va nous tomber sur le paletot, mais c'est loin d'être le cas en réalité. Personne n'en sait jamais rien, et ta Diane pas plus que quiconque. Au fait, il y a une chose qui m'intrigue : comment se fait-il que ta meilleure amie te déteste?

– Ça, je n'en sais trop rien. Mais depuis quelque temps, elle me regarde d'un sale œil. C'est depuis que je lui ai donné bien

franchement mon opinion sur une histoire qu'elle a écrite.
– J'adore les opinions franches. Surtout quand elles ne s'appliquent pas à moi.
– Mon opinion franche, c'est que son histoire ne valait rien de rien. Seulement, je ne le lui ai tout de même pas dit comme ça. Quelquefois, la franchise, ça vous mettrait une amitié par terre comme rien. Alors, je lui ai donné une opinion franche et hypocrite à la fois, quoi ! Je lui ai dit que son histoire était un peu casse-pieds. Elle l'était même beaucoup. C'était l'histoire de l'inventeur de la boîte de conserve, qui regrettait terriblement son invention, après coup. Elle est rudement écolo, Diane; sur tout ce qui touche à l'environnement, je vous jure, elle ne plaisante pas. Bon, là, moi, je suis d'accord ! N'empêche qu'à mon avis pour un roman comme ça, pour que ça passe, il y faudrait un peu de romance, un brin d'histoire d'amour. Hé! dites, on n'est pas pris dans un embouteillage, là, par hasard ?
– Eh si.
– Oh! non! Je ne voudrais pas manquer mon bateau, moi!

Le sociologue partit d'un grand rire.

– C'est bien la première fois que j'entends dire ça sérieusement.
– Tiens, bien sûr que c'est sérieux. Qu'est-ce que je ferai, moi, hein, si je le manque? Rien qu'à cette idée, je suis prête à tomber dans les pommes.
– Ah! non! Pas dans mon taxi. D'ailleurs, ton bateau, tu ne le manqueras pas. Pas avec ce bon vieux Sylvester au volant.
– Sylvester! C'est votre nom? Pour de bon?

D'un doigt, il lui indiqua sa plaque de licence, sur le tableau de bord.
– Bien sûr que c'est mon nom. Tu vois? Tu n'es pas seule dans la mélasse. Et toi, tu t'appelles comment?
– Maggie. Maggie tout bêtement. Et ce n'est pas le diminutif de Margaret ou de Magdalen ou d'un joli prénom comme ça, ce serait trop beau. Mes parents sont intraitables sur le plan de l'honnêteté. Ils disent que si on a envie d'appeler son enfant Maggie, pourquoi tourner autour du pot et le baptiser d'un autre nom, pour l'appeler Maggie en diminutif? Et mon petit frère, c'est Sam. Sam tout court. Maggie et Sam. Trouvez pas qu'on dirait les noms d'une paire de chiens bergers à qui leur maître aurait voulu

donner dcs noms qui ne fassent pas trop chien-chien?
– Mouais. J'échangerais bien Sylvester contre Sam, pourtant, si tu veux mon avis. Peut-être que si je m'appelais simplement Sam, je me contenterais d'un peu moins de tignasse autour du crâne. Je ne sais pas. Peut-être que tes parents ont de grands projets d'avenir pour toi. Peut-être.
– Peut-être. Oh! mais, trouvez pas qu'il commence à faire bougrement sombre, par là, Sylvester? Dites, ça ne vous ennuie pas que je vous appelle Sylvester?
– Si, ça m'ennuie. Les gens qui m'aiment bien m'appellent Syl. Et oui, il commence à faire bougrement sombre. Nous allons avoir un gentil petit orage, un gentil petit orage pour nous rafraîchir.
– Les paquebots appareillent quand même, quand il y a de l'orage?
– Sais pas. Mais pourquoi pas?

Un grondement de tonnerre roula dans le lointain, vers l'ouest. Le tonnerre, à la maison, bah! c'était sans importance. Sauf peut-être pour Diane, avec son obsession des orages. Par contre, ici, c'était autre chose. Le tonnerre sur fond de paysage inconnu, avec en arrière-plan tant de cimetières immenses, cela rendait un son lugubre, annonciateur de cataclysmes.

Alors Maggie, tout doucement, se recroquevilla sur la banquette arrière, en songeant à ses parents. Il lui semlait que ce n'était guère avisé, de la part de gens de leur âge, de laisser partir ainsi, seule, dans le vaste monde, leur enfant si jeune, et leur seule fille de surcroît. Oh, ce n'était pas qu'elle eût réellement peur, non, pas encore – oui, mais... si elle commençait à s'affoler pour de bon?

Le ciel se fendilla brusquement, déchiré par un éclair fourchu, immédiatement suivi d'un claquement de tonnerre qui envoya Maggie sur le plancher du taxi.

– Hé! reste avec moi! Où es-tu? voulut savoir Sylvester.

Maggie reprit place sur la banquette.

– J'ai perdu l'équilibre, dit-elle sur un ton qu'elle voulait digne et plein de flegme.

C'était un violent orage, et le spectacle des éclairs branchus zigzaguant à une cadence rapide au-dessus de l'île de Manhattan avait quelque chose de grandiose et d'hallucinant; Maggie songea qu'elle avait peut-être de la chance d'avoir droit à cet aperçu très spécial de la plus grande ville du monde. « Sers-toi des yeux que Dieu t'a donnés, mon enfant, de tes oreilles, de ton nez, de tes papilles gustatives, pour profiter au maximum des émerveillements et des découvertes de ce voyage que tu vas faire. C'est peut-être bien la chance de ta vie. Ne la gaspille pas... » Maggie croyait entendre encore la voix soporifique de Mlle Hinkley, son professeur d'arts et techniques, une brave femme définitivement persuadée que si elle n'était pas là pour vous indiquer ce qu'il fallait voir, pour vous faire pousser à bon escient des « oooh! » et des « aaah! » vous seriez incapable de reconnaître un beau coucher de soleil.

– Oui oui, mademoiselle Hinkley, d'accord. Je suis tout yeux, tout oreilles.

A partir de là, cependant, la conversation se tarit. Sylvester fut assez brave pour indiquer au passage les monuments et les curiosités.

– Ce petit train sur viaduc, là-haut, eh bien, c'est le métro... Le grand immeuble où la foudre vient de tomber, là, c'était l'Empire State... Ce tunnel où nous entrons maintenant, tu vois, il va nous faire passer sous l'East River...

En réponse à sa question inquiète, il répondit que oui, indiscutablement, le tunnel était bien étanche. Du moins, il l'avait toujours été jusqu'à présent. Il reprit son rôle de guide touristique à la sortie du tunnel :

– Voilà, maintenant nous sommes au cœur de la cité de New York, celle que O'Henry nomma un jour « Bagdad-sur-Hudson ».

Il pria Maggie d'excuser le triste aspect des environs immédiats et, pour rattraper la chose, il lui fit faire un bout de chemin dans Park Avenue, histoire de lui faire entrevoir « ces tours bardées de verre que les banquiers se payent avec les sous de leurs clients ».

– Alors, qu'en penses-tu? C'est des immeubles à la noix, ça?

– Ça, non. Ils sont même pas mal du tout.

Ils traversèrent la ville, au fond de ce canyon sombre et encaissé qu'on appelle à New York une rue, en direction du fleuve, d'après Sylvester. Mais de fleuve, point; pas le moindre aperçu de plan d'eau, rien d'où pût surgir un bateau. Aussi Maggie eut-elle un choc lorsque Sylvester annonça :

– Nous y voilà!

– Nous y voilà où?

– Au quai d'embarquement. Au seuil de la grande aventure.

– Bigre!

L'estomac de Maggie venait de faire un saut de grenouille.

Sylvester se retourna et, pour la première fois, elle le vit bien en face. Derrière le rideau de la tignasse luisait une paire d'yeux bruns très doux, les yeux les plus doux qu'elle eût jamais vus. Elle adorait déjà Sylvester et n'avait aucune envie de le quitter. Elle dut faire un gros effort pour s'arracher de ce taxi.

Les derniers instants rappelèrent en tout point un tour de grand-roue, à la foire. Sylvester affirma qu'il aurait été enchanté d'assister à son départ, mais qu'il ne pouvait abandonner son taxi; qu'il avait pris le plus grand plaisir à se trouver en sa compagnie, et qu'il aurait bien aimé refuser le pourboire, mais que s'il commençait à laisser les sentiments intervenir dans les affaires, il risquait de se retrouver sur la paille. Il était en train de lui expliquer qu'elle allait vivre des moments uniques, l'expérience de sa vie, lorsqu'un homme empoigna d'autorité le sac de voyage de Maggie, répondant à ses cris d'orfraie qu'elle le retrouverait dans sa cabine, affirmation qu'elle n'était pas assez écervelée pour gober aussi facilement. Là-dessus, couvrant ses cris, retentit impérativement un coup d'avertisseur bien appuyé, et Sylvester dut regagner son taxi en hâte.

Maggie, voyageuse au long cours, était à présent seule, seule à cent pour cent – qui plus est sans son sac de voyage, probablement volé –, au milieu d'une foule de gens dont pas plus de un pour mille ne devait être solitaire. Il n'y avait là manifestement que des parents avec leur nichée, de jeunes et de vieux ménages, des paires d'amis très chers; et tous visiblement très gais, parlant haut et riant fort.

Mais où donc était ce bateau, et comment y embarquait-on? Sans doute ces gens heureux étaient-ils au courant? En ce cas, il n'y avait qu'à les suivre.

Maggie se mêla donc au courant principal, qui allait s'entasser dans un grand ascenseur. Tout le monde se retrouva bientôt sur le quai d'embarquement. C'était une sorte d'immense hangar, d'où Maggie entraperçut enfin une tranche de l'avant du bateau et une petite longueur de son flanc, là où il était écrit *Toscana*. Jusque-là, tout allait bien : c'était le bon bateau. Et le peu qu'elle en voyait était d'un blanc étincelant, ce qui ne pouvait que la rassurer : un bateau aussi bien tenu était certainement digne de confiance.

Au flanc du bateau s'appuyaient en biais deux passerelles couvertes. VISITEURS, annonçait une pancarte dotée d'une flèche; PASSAGERS, indiquait l'autre. La flèche indiquant PASSAGERS désignait une petite cabane en bois.

Un employé, dans la petite cabane, vit Maggie s'approcher par son guichet vitré, et il lui fit de grands signes :

– Non non, ici, c'est pour les passagers. Les visiteurs, c'est par là.

– Mais je suis passagère! dit Maggie.

– Ah, pardon! Tes parents arrivent derrière?

– Je n'ai pas de parents.

L'autre prit l'air apitoyé convenant à la circonstance.

– Je veux dire, pas ici, rectifia Maggie.

Ils sont là-bas, à la maison. Dans l'Iowa.

– Dois-je comprendre que tu voyages seule ?

– Voilà, c'est ça.

– Bien, bien, bien. Mineure non accompagnée. Tes parents ont donc signé une décharge de responsabilité, en ce cas, pour la compagnie de navigation, n'est-ce pas ?

– Euh, oui monsieur. Elle est là, dans mes affaires.

– Bien bien. Je vais donc la prendre, ainsi que ton billet et ton passeport, et tu seras gentille de me laisser jeter un coup d'œil à tes certificats de vaccination également.

Les minutes qui suivirent devaient être fort longues.

A son épaule maigrichonne, Maggie tenait en bandoulière un grand, un immense sac à main, qu'elle s'était offert elle-même en cadeau de voyage, et dont elle avait l'intention de ne jamais se défaire – jamais, au grand jamais, ni le jour ni la nuit, sous aucun prétexte. Dans les profondeurs de ce fourre-tout géant se nichaient ses chèques de voyage, une photo de chaque membre de sa famille, un roman policier, du bubble-gum, des mouchoirs en papier, un journal intime, une méthode d'italien à l'usage des touristes, une carte de l'Italie, des lunettes de soleil, un flacon de lotion solaire, une pochette de papier à démaquiller, un peigne et une brosse, et quelques autres éléments essentiels à son confort et à son bonheur. A la vue de ce sac et de son contenu, son père avait déclaré que c'était sa manière à elle d'emporter son petit chez-soi.

Les documents que désirait voir ce gentleman, précisément, se trouvaient dans une pochette à part, elle-même glissée dans un compartiment séparé dudit sac, à l'abri d'une fermeture à glissière. Là, ils étaient censés se trouver, selon le vœu de sa mère, « en lieu sûr, mais sous la main, les deux à la fois ». Tels étaient les mots de sa mère. « Et vérifie constamment qu'ils y sont. » Autres mots de sa mère. Et c'était bien, depuis le départ, ce que Maggie n'avait cessé de faire. Environ une fois par heure, en moyenne. Et peut-être même une fois de trop. La dernière fois qu'elle y avait regardé, c'était à bord du taxi. Et cette fois-là, ce faisant, elle avait réussi à coincer dans la fermeture à glissière un bout de cet échantillon de dentelle que lui avait confié Tante Harriet à la toute dernière minute. Maggie était supposée demander à Tante Yvonne de trouver la même dentelle, dans un endroit du nom de Burano, ainsi qu'elle l'expliquait en détail à l'employé derrière son guichet, en même temps qu'au petit groupe intéressé qui grossissait derrière elle.

Tout le monde était très gentil quoiqu'un peu énervé, et chacun, tour à tour, désespérant de la voir retrouver ses papiers, finissait par se décider à passer au guichet avant elle. Quelqu'un, très gentiment, lui ramassa son paquet de mouchoirs en papier; quelqu'un d'autre ramassa son peigne; un troisième, son carnet d'adresses; pour le bubble-gum, elle l'avait vu tomber, mais aurait préféré que nul ne s'en aperçût...

– Prends ton temps, dit quelqu'un gentiment.

– Mais bien sûr. Le bateau attendra. (Un humoriste.)

– Ne t'affole pas.

– Appelez la police, département urgences. Le 911. (Un autre humoriste?)

– Moi, la dentelle de Tante Harriet, je l'enverrais promener si j'étais toi.

Là-dessus s'avança une petite dame qui n'avait jusqu'ici assisté à la scène qu'en observateur extérieur; cette dame, en voyage, avait toujours sur elle, dans son sac, une petite paire de pinces, et conseillait vivement à Maggie d'en faire autant.

L'échantillon de dentelle, pour finir, accepta enfin de se laisser déloger; il avait tout juste un trou de plus qu'au départ – un grand, il faut l'avouer.

Un concert d'applaudissements polis salua cette victoire, et le passage difficile semblait enfin devoir être franchi sans encombre lorsque Maggie s'aperçut que l'homme au guichet ne lui rendait pas son passeport! Il eut toutes les peines du monde à la convaincre que tous les passeports, absolument tous, étaient conservés par les autorités de bord durant le temps de la traversée, et qu'ils seraient rendus aux passagers à l'arrivée. C'était le règlement mais, dépouillée de son passeport, Maggie se sentait dépossédée.

– Bon voyage! dit gentiment l'employé en rendant à Maggie le restant de ses documents avec un soulagement manifeste. Puis, se penchant, il lui dit confidentiellement, à mi-voix :

– Et tâche de te tenir à l'écart des gens louches, hein ?

– Oui monsieur.

Tout en rejoignant le flot humain qui se dirigeait massivement vers les passerelles d'embarquement, Maggie levait bien haut le menton pour tenter de voir le bateau par-dessus les têtes. A la vue de cette grande coque blanche et de ces pavillons flottant au vent, accrochés à une drisse, elle eut un coup au cœur. Il était beau. Cette fois, l'excitation du départ la gagnait bel et bien.

– Ouaille ! Espèce de...

Une injure à demi-chuchotée venait de tinter à son oreille. Elle se retourna, pour se retrouver face à une paire d'yeux. Ces yeux disparaissaient presque sous le rebord d'un chapeau colonial vissé au maximum sur le crâne. Les yeux et le chapeau appartenaient à un garçon.

– Oh ! je vous demande pardon, s'excusa Maggie.

Elle venait de lui marcher sur les orteils... et de bon cœur.

Mais déjà le garçon avait filé, il se fondait dans la foule.

« Plutôt bizarre », se dit Maggie. Mais qu'y avait-il de bizarre, au fait? Ah! oui, ces yeux. Ils brillaient d'un éclat curieux. Une lueur d'inquiétude, peut-être. Ou bien... Ou bien n'avaient-ils pas l'air louche?

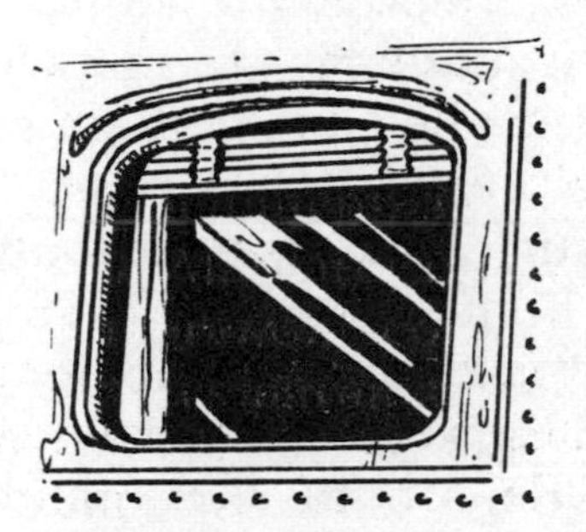

Chapitre 2

Maggie était perdue. Mais il n'y avait pas de quoi s'affoler. Après tout, elle avait dix jours pour trouver sa cabine. Et elle ne risquait pas de mourir de faim dans l'intervalle : au cours de ses recherches, elle avait déjà dépassé – ou traversé – au moins trois restaurants, chacun une bonne douzaine de fois.

« N'oubliez pas de rappeler à Maggie de n'avoir pas l'esprit étroit, avait écrit Tante Yvonne. Dites-lui que le monde est peuplé de gens qui n'ont pas eu le bon goût de naître dans l'Iowa (USA). Expliquez-lui qu'ils ne sont pas nécessairement à blâmer pour cette erreur; ce peut être celle de leurs ancêtres... »

« Eh bien! le chaud soleil de l'Italie n'a pas émoussé le sens des sarcasmes chez cette chère Yvonne », avait commenté le père de Maggie.

Personne n'avait songé, par contre, à prévenir Maggie que pour passer du pont d'un bateau à l'intérieur, il faut lever le pied pour franchir le rebord du seuil, sans quoi l'on risque de se casser le nez par terre. Personne non plus ne lui avait dit que pour rejoindre le pont supérieur à partir du niveau d'embarquement, il faut commencer par descendre. Les gentils messieurs en uniforme blanc à qui elle avait posé la question avaient tous souri de toutes leurs dents et indiqué *le bas* lorsqu'elle leur avait montré son numéro de cabine. Mais elle, bien sûr, était sûre de son fait : les cabines, c'était plus haut. Aussi était-elle montée, montée, dehors, dedans, dedans, dehors, traversant bars et salons, foulant le pont-promenade, puis un autre pont encore (sur lequel elle eut le plaisir de constater, non sans un frisson dans le dos, que s'alignaient en bon ordre des dizaines et des dizaines de bateaux de sauvetage, tout prêts sans doute à prendre la mer), et encore un autre pont nanti d'une piscine encastrée, un pont qui se disait « solarium », si bien que pour finir elle se retrouva seule, tout en haut tout en haut du bateau, sur un pont aux quatre vents, sur le sol duquel étaient peintes en blanc les limites d'un terrain de jeu de galets.

Au-dessous d'elle, à l'intérieur du bateau, tout n'était que tumulte et confusion – couloirs embouteillés, bloqués par gens et bagages, portes de cabines grandes ouvertes, bars et salons grouillants d'une foule très occupée à boire et à manger et à discuter dans toutes les langues imaginables, bref à célébrer le départ...

Ici, par contre, tout n'était que silence. Et solitude, peut-être, aussi? Mais ce n'est pas parce qu'on est seul qu'on se sent nécessairement esseulé... Un chien venait d'aboyer. Tout près de là. Maggie se prit à songer à son chien à elle, Boy, le plus beau bâtard à poils rudes de la création. Bon, elle ne se sentait pas esseulée, mais tout de même, Boy lui manquait.

– Du calme, mon pauvre vieux, dit-elle au chien qui aboyait.

Les aboiements en devinrent hystériques, et Maggie quitta en hâte le pont, encore humide de la dernière averse, pour redescendre le long d'un escalier étroit et glissant.

Pour finir, ce fut une charmante jeune femme en uniforme qui conduisit Maggie à sa cabine, laquelle, pour quelque raison mystérieuse, se révéla fermée à clef.

– Hé! pourquoi est-ce fermé? demanda Maggie.

– Bagages ici, dedans.

– Ouf! Quel soulagement! J'ai cru ne jamais revoir ce pauvre sac.

Mais le monceau de bagages gisant sur le sol de la cabine ne lui appartenait pas. Rien ne ressemblait à son sac de voyage, là-dedans.

– Il y a erreur, dit Maggie. Ces bagages ne sont pas à moi.

– Erreur non. Bagages de ta mamma.

– Quelle mamma?

– Mamma avec toi dans la cabine. Oui?

Mais non! Maggie avait oublié cette funeste éventualité, dont on lui avait pourtant touché un mot, d'avoir à partager sa cabine avec autrui. Plus exactement, elle s'était empressée de considérer cette menace comme hautement invraisemblable. C'était avant le début du voyage, du temps où elle était encore optimiste.

Pour le moment, d'ailleurs, la véritable

catastrophe, c'était la disparition de son sac de voyage, beaucoup plus que la présence dans cette cabine d'une « mamma » inconnue – même si cette dernière risquait fort d'aller fourrer son nez partout et sans doute aussi de jouer les autorités suprêmes.

– Mon sac! gémit Maggie. Un voleur me l'a arraché des mains, tout à l'heure, sur le quai!

– Ah! *bambina!* gémit avec compassion la jeune femme. Ville de New York terrible, beaucoup voleurs, meurtriers, bandits; aussi cambrioleurs, pickpockets... Et apaches, truands... Et drogués aussi. Mais j'aime. Ville très drôle. J'adore. Toi, tu aimes aussi?

– Moi? Je la déteste. Je déteste les voleurs. Et qu'est-ce que je vais faire, moi, maintenant?

– D'abord avoir patience et philosophie. Peut-être pas volé. Peut-être Antonio a pris, qui ressemble voleur. Peut-être bagage arrive.

– Mais quand?

La jeune femme eut un geste d'ignorance :

– *Qui lo sa?* Et papa et mamma, où sont?

Maggie expliqua qu'ils étaient en Iowa, et qu'elle voyageait seule (à cette information, la jeune femme se prit les joues dans les mains, l'air affolé), et que si son sac de voyage lui avait été volé elle allait en mourir, et puis enfin qu'allait-elle se mettre ? Elle n'avait plus rien !

– *Bambina,* tu n'es pas toute nue. Toi jolie robe. Stella, elle lave et repasse robe tous les soirs. Le matin, tu portes. Le soir, Stella lave. Et voilà. Parfait. Tout okay. Quand femme de chambre est Stella, tout toujours okay. Okay ?

Maggie fut enchantée de savoir qu'il s'agissait de la femme de chambre, parce que « femme de chambre » était un intitulé qui figurait sur l'une des petites enveloppes blanches que sa mère lui avait préparées, pour les pourboires à distribuer à la fin de la traversée. Enchantée, jusqu'au moment où elle réalisa que les petites enveloppes blanches en question avaient été précautionneusement enfouies – pour plus de sécurité – tout au fond du sac porté manquant.

Elle regémit.

Stella fit tinter ses clés.

– Viens. Viens dire au revoir. Tout ira mieux.

– Dire au revoir à qui?

Stella leva les bras, comme en extase.

– A tout le monde.

Et Stella poussa Maggie hors de la cabine, referma la porte, et confia une clé à Maggie.

Sans encombre insurmontable, en se contentant de descendre, de monter, d'entrer, de sortir, de rentrer et de tourner en rond quelque temps, tout en interrogeant au passage plusieurs dizaines de personnes (dont certaines, n'étant pas nées dans l'Iowa, USA, ne parlaient pas même anglais), Maggie finit par trouver l'endroit d'où envoyer son deuxième télégramme. Cette fois, l'appellation du lieu était claire et sans équivoque : RADIOTÉLÉPHONE ET TÉLÉGRAPHES.

Le père de Maggie, qui enseignait l'anglais, l'avait dûment chapitrée : « N'emploie jamais deux mots là où tu peux n'en mettre qu'un, et ceci plus encore lorsque tu envoies des télégrammes avec mon précieux argent. »

Maggie rédigea donc, sur le bloc-notes qu'on lui tendait, un message ainsi rédigé : BIEN ARRIVÉE ENCORE FANTASTIQUE.

L'opérateur examina le message, puis il examina Maggie.

– « Bienarrivéeencorefantastique », lut-il d'abord tout haut, comme s'il s'agissait d'un seul mot.

Il se gratta la tête et relut :

– « Bien arrivée. Encore fantastique. »

Et enfin :

– « Bien arrivée encore. Fantastique. »

Il finit par se pencher sur son guichet, avec l'air d'un conspirateur, et chuchota :

– Il est contraire au règlement de faire des commentaires mais, tout à fait entre nous, qu'est-ce que la *signorina* considère comme une habitude : de bien arriver, ou d'être fantastique?

– De bien arriver. C'est le bateau qui est fantastique. Et si vous voulez savoir, il faudra encore que je sois « bien arrivée » à Gênes, en Italie... Du moins, si j'arrive bien, à bon port!

La mine de l'opérateur, compréhensif mais déjà perplexe, s'assombrit encore un peu plus, le sourcil interrogateur.

– Oui, expliqua Maggie, je veux dire : si ce bateau fantastique ne fait pas naufrage, et si ma tante Yvonne est bien là, à l'arrivée, pour m'accueillir.

L'opérateur toucha du bois.

– Eh là! nous n'avons pas l'habitude de faire naufrage. Quant à ta tante Yvonne, elle a certainement bien confirmé à la compagnie qu'elle viendrait te chercher à l'arrivée.

Maggie *pensait* que oui.

– Moi je peux t'affirmer qu'elle l'a fait : jamais la compagnie n'aurait délivré ton billet sans cette garantie, crois-moi. Comprends-tu ?

Maggie comprenait; elle ne comprenait même que trop bien : si la compagnie éprouvait le besoin de s'entourer d'autant de garanties, c'était sûrement que l'idée de laisser débarquer seule à Gênes (Italie) une « mineure non accompagnée » avait de quoi vous donner la chair de poule. Or, la chair de poule, Maggie l'avait déjà. Elle n'avait nul besoin de s'en voir fournir des raisons supplémentaires.

– Ma tante Yvonne habite à Cortina, dit Maggie d'une toute petite voix.

– Cortina d'Ampezzo? Très joli coin.

– Oui, mais c'est bougrement loin de Gênes, non ?

– Ce n'est pas la porte à côté, comme tu dis.

– Y'a même un très, très long bout de

chemin à faire. Il faudrait que je prenne le train pour Venise – à supposer que je sois capable de le trouver toute seule... (Sa gorge s'était nouée, elle avait du mal à poursuivre.) Et puis, à Venise, il faudrait que je prenne un bateau pour traverser le grand canal et pour prendre le bus... et puis... oh! misère...

– Venise... Ah! c'est tellement beau, Venise! Prendre le bateau pour traverser le canal, tu trouveras ça merveilleux. Mais... (L'opérateur reprenait sa voix d'officiel, ferme et impérative.) Mais ta tante Yvonne sera là pour t'accompagner. La compagnie en a la confirmation formelle.

– Mais bien sûr que ta tante sera là pour t'accueillir, intervint derrière Maggie une voix tout miel, tout sucre.

Maggie se retourna. Un petit bonhomme à la bedaine allègre – pommettes roses, cheveux blancs un peu longs et favoris retroussés selon une courbe censée être à la mode – pétillait des yeux à son intention.

– Si je comprends bien, s'informa-t-il en redoublant de pétillements, tu es une courageuse demoiselle qui ne craint pas de voyager seule?

Maggie entrevit que cette question, décidément, risquait fort de revenir un peu souvent dans la conversation. Peut-être allait-elle devoir concocter à l'avance deux ou trois réponses toutes prêtes, spirituelles autant que possible, entre lesquelles choisir. « Est-ce que ça te regarde, pépé? » par exemple...

Pour cette fois-ci, elle se contenta d'opiner du menton.

– C'est bien, c'est bien, commenta le petit bonhomme rose et blanc, lui-même apparemment un peu à court d'esprit.

– Toute seule? reprit-il presque aussitôt. Toute seule, toute seule jusqu'à...?

– Jusqu'à Gênes, Italie.

– Jusqu'à Gênes? Bien... Dans ce cas... (Il y eut un long silence; les silences sont toujours longs.) Dans ce cas, je t'invite à essayer de me battre dans une partie de jeu de galets. (Il la gratifia d'une courbette.) Roger Dumont, pour vous servir. A qui ai-je l'honneur et le plaisir...?

– Maggie.

– Maggie. Fort bien. Maggie, donc, je t'invite à une partie de galets. (Il se tourna vers l'opérateur, abandonnant d'un coup pétillements et clignote-

ments.) Un câble pour Lisbonne a-t-il des chances d'arriver avant minuit?

L'opérateur jeta un coup d'œil à l'horloge. Il était trois heures et demie.

– Il est déjà huit heures et demie, à Lisbonne, monsieur.

– Bien, ce qui veut dire?

– Ecoutez, monsieur, je vais faire de mon mieux.

M. Dumont se retourna vers Maggie, et les pétillements reprirent.

– Ah! une espèce en voie de disparition, ma foi, les gens qui cherchent à faire de leur mieux... Mais ce qu'il y a de mieux n'est jamais trop bon pour moi, comme je le dis toujours.

Et flûte, se dit Maggie. Elle entreprit de farfouiller dans les entrailles de son grand sac pour en extraire son porte-monnaie.

– Non, non, *signorina,* intervint l'opérateur. Les passagers signent simplement là, et payent le tout à la fin du voyage. Il brandissait un carnet sous son nez.

Maggie hésita. Ses parents étaient absolument contre tout paiement à crédit – sans doute, se dit-elle, parce qu'ils avaient l'esprit étroit de qui n'a jamais quitté sa province.

– Bon, merci, c'est très gentil, murmura-t-elle tout en signant de son nom et en inscrivant le numéro de sa cabine.

M. Dumont fit observer que cette remarque était adorable, mais il ajouta à l'adresse de Maggie, en pétillant comme un vrai père Noël de grand magasin, qu'il fallait faire bien attention à ne pas trop laisser monter ses notes de bar.

« Prévenez bien Maggie, avait écrit sa tante, que les premières vingt-quatre heures à bord sont tout à fait capitales. Voilà bien un endroit où qui se ressemble s'assemble; en mer, on voit se former des groupes, dont certains comprennent des oiseaux pas nécessairement recommandables. Si elle ne veut pas s'empêtrer de casse-pieds (ou pire), conseillez-lui donc de jouer les ours, et de faire cavalier seul jusqu'au retour à la terre ferme. Cela ne lui fera aucun mal, et même ne la rendra que plus intéressante. »

Son père avait demandé que soit relu à fond ce dernier paragraphe.

« Où est l'intérêt? avait demandé sa mère.

– Où est l'intérêt? Maggie, explique-le donc à ta mère.

– Mince, moi je ne sais pas! C'est normal, de toute façon, non? qu'il se forme des groupes d'oiseaux autour d'un bateau?

– C'est à n'y pas croire. Etre diplômé de l'Université de l'Iowa et voir sa propre fille, sa chair et son sang, incapable de reconnaître une salade de métaphores à la noix! Oiseaux, ours, cavalier, mer, terre ferme! Enfin, Maggie! Si je trouvais tout ça dans un texte d'élève...!

Puis il avait baissé la voix, comme il le faisait toujours lorsqu'il tenait particulièrement à être entendu.

– Maggie, ce que te conseille ton père, pour sa part, c'est : premièrement, quand tu fais appel à des métaphores, de faire en sorte qu'elles tiennent debout (pas d'ours qui fassent cavalier seul); deuxièmement, de te mêler à tes compagnons de voyage, sans exclusive; troisièmement, de ne jamais suivre les conseils de ta tante sans y ajouter ton grain de sel. C'est clair? »

C'était assez clair, mais, pour l'heure, Maggie inclinait plutôt à suivre le conseil de sa tante : elle laisserait passer un bout de temps avant de répondre aux pétillements de ce petit M. Dumont. Peut-être ne répondrait-elle jamais. Car il ne lui plaisait pas du tout, ce bonhomme. D'autres peut-être l'auraient trouvé jovial, irrésistible, ou simplement sympa. Mais pas elle. Ces jugements expéditifs qu'elle portait sur autrui étaient d'ailleurs l'une des choses dont elle comptait se corriger à l'occasion de ce voyage. Quand les gens lui plaisaient, ils lui plaisaient toujours beaucoup; et quand elle les avait en horreur, idem, c'était toujours à l'excès. Et elle était la première à reconnaître que ses verdicts sans appel allaient parfois un peu loin : elle affirmait, par exemple, qu'elle serait incapable d'épouser un homme portant une bague de diamant...

Les adieux, à présent, se faisaient pressants et fiévreux : cabines, salons et couloirs surpeuplés retentissaient d'éclats de voix et de rires de plus en plus aigus, comme pris de frénésie, anxieux de participer au maximum à la grande fête du départ. Par ci, par là, pourtant, notait Maggie, on sentait croître et se propager des zones de silence : certains étaient à court d'adieux et jetaient désormais des coups d'œil furtifs à leurs montres, visiblement embarrassés.

Disparaissant ici, réapparaissant là, riant, braillant, poussant des cris, des nuées de gosses tournoyaient autour des adultes – certains plus grands que Maggie, d'autres plus petits. Lesquels parmi eux deviendraient ses « compagnons de voyage » ? Mais tous faisaient déjà partie de petits groupes fermés, tous savaient avec qui parler, avec qui chahuter, si bien que Maggie, à leurs yeux, était tout simplement transparente, même lorsqu'ils lui rentraient dedans au fil de leurs inlassables courses-poursuites. Etait-elle condamnée à « faire cavalier seul » durant toute la traversée?

Comme elle cherchait à sortir pour aller mettre le nez au grand air, elle se retrouva dans une salle qui devait s'appeler, à ce qu'elle crut entendre (et pour quelle obscure raison?), la « véranda ». Là, un certain nombre de personnes se livraient à des festivités auxquelles elle n'avait pas été conviée. Maggie arrondit le dos, se fit toute petite et glissa, sur la pointe des pieds, devant une table nappée de blanc et garnie d'un buffet de gala – canapés fantaisie, fromages, fruits secs et exotiques... Des bras adultes en pagaïe s'étiraient, s'allongeaient, s'entrecroisaient, pour faire élégamment main basse sur ce déploiement de merveilles. Un bras pourtant, dans ce buisson de bras tendus, n'était pas celui d'un adulte; il était presque aussi anguleux que celui de Maggie – mais ce devait être un bras de garçon plutôt qu'un bras de fille. Il n'avait pas l'élégance mondaine des autres bras. Plutôt que de saisir avec grâce, il semblait plonger furtivement, à la manière d'un voleur à l'étalage...

Maggie poursuivit son chemin en direction de la sortie.

Du vol à l'étalage? Son imagination s'était-elle emballée, ou venait-elle réellement de voir une poire disparaître dans la poche d'un blue-jean? Ce chapeau colonial, par contre, n'était certainement pas un produit de son imagination.

Sitôt dehors, sur le pont, elle reprit une posture normale.

A cet instant précis retentit un carillon, et une voix féminine annonça suavement dans un haut-parleur :

« Votre attention, s'il vous plaît! Votre attention, s'il vous plaît! Les visiteurs sont priés de regagner la terre. Le bateau va appareiller. Le bateau va appareiller. »

Certains, la croyant sur parole, échangèrent d'urgence de derniers adieux. D'autres – tel ce voyageur aguerri, près de Maggie, qui s'écria : « Eh là! y'a pas le feu! » – n'estimèrent pas devoir s'émouvoir pour autant. Ceux-là savaient qu'il y aurait encore au moins un ou deux avis de ce style.

– Oh! regarde, chérie! s'écria soudain une voix masculine, non loin de Maggie. Ils sont en train de hisser le *pierre.*

Maggie tourna aussitôt la tête en direction de la voix. Que venaient-ils donc de hisser? Etait-ce bon signe?

– Le quoi? Explique-toi un peu, mon vieux loup de mer!

Par bonheur, la femme du vieux loup de mer en question n'avait pas l'air d'en savoir plus long que Maggie.

– Ce pavillon, là, tu vois? C'est lui, le *pierre.* Il signifie que le navire est prêt à prendre la mer.

Maggie suivit des yeux le pavillon qui glissait le long de sa drisse. C'était un rectangle bleu, avec un petit rectangle blanc à l'intérieur.

Elle se rapprocha subrepticement du couple, espérant recueillir d'autres informations de la part du loup de mer. Elle ne fut pas déçue.

– Et ce pavillon-là, tu le vois? moitié blanc, moitié bleu : c'est le H, il signifie que le pilote est à bord.
– Ah bon? Et cet autre, là, avec ce joli petit hippocampe bleu clair sur fond blanc, qu'est-ce qu'il veut dire?
– Celui-là, chérie, c'est le pavillon de la compagnie maritime. Et s'ils ont hissé le pavillon portugais, aussi, c'est parce que notre première escale aura lieu au Portugal; et le pavillon américain, tu vois, ils le descendront dès que nous serons sortis des eaux territoriales. Voilà. Est-ce tout ce que tu voulais savoir?
– Dis, où devrions-nous nous poster, à ton avis? demanda sa femme. D'où pourrons-nous le mieux assister au départ?

Sur les différents ponts, c'était à présent une bousculade générale, et la même question était reprise à tous les échos.
– Suis-moi, dit le loup de mer à sa femme, et Maggie leur emboîta le pas, discrètement, à quelques mètres de distance.
– Allons-nous vers l'avant ou vers l'arrière, là, en ce moment? voulait savoir la jeune femme (ainsi d'ailleurs que Maggie).

– Vers l'arrière, répondit fermement le mari.

« Vers l'arrière »? Maggie aurait juré qu'ils se dirigeaient vers la proue du bateau, et non pas vers la poupe (ces termes-là, elle les connaissait), parce qu'ils progressaient en direction de l'embouchure du fleuve et du grand large, et non en direction de la ville de New York, que le bateau allait quitter. N'importe qui, même né dans les profondeurs continentales de l'Iowa, était capable de savoir ça.

– Ça, c'est bâbord, n'est-ce pas? Dis, chéri?

La jeune femme agitait la main gauche.

– Non, tribord.

– Comment, tribord? J'ai toujours cru que tribord, c'était à droite?

– Enfin, chérie! Tribord est toujours à ta droite quand tu regardes vers l'avant du bateau.

– Mais je ne regarde pas vers l'avant du bateau, je regarde vers l'arrière.

– Précisément.

– Oh! Seigneur, ce que c'est compliqué!

Maggie n'aurait su mieux dire. Mais si la dame trouvait ça drôle et se mettait à rire d'un rire léger, Maggie, elle, avait plutôt envie d'en pleurer. Faute d'un mari jouant les guides, il allait lui être indispensable, sur ce bateau, d'apprendre à s'orienter, ou tout au moins d'avoir quelques points de repère.

Le loup de mer les conduisit à un pont découvert, sur lequel s'ouvrait une piscine recouverte d'un filet. Sur tribord se pressait une foule bruyante, fort occupée à lancer des appels et à faire de grands signes à la foule massée sur le quai. « Voilà Jack. » « Ça? C'est pas Jack. » « Si, c'est lui. » « Je ne vois pas Mary. » « Qui donc est-ce, qui nous fait de grands signes comme ça? » « Ce n'est pas à nous qu'il fait de grands signes. C'est à quelqu'un d'autre. » « Tiens la voilà! » « Où ça? » « Les voilà! » « Le voilà! » « Moi je les vois! »

Chacun, à perte de vue, à bord ou sur le quai, faisait de grands signes de bras.

Et Maggie? Maggie, voyageuse au long cours, Maggie était seule... Maggie n'avait personne, personne au monde à qui adresser le moindre signe de bras. « Dites à Maggie de ne pas se replier sur elle-même... », conseillait encore Tante

Yvonne dans sa lettre. (« Ouais, une fois écoulées les vingt-quatre heures de retraite en solitaire, naturellement », avait raillé son père.)

Au revoir. Au revoir, tout le monde, se dit Maggie, morose, en agitant vaguement le bout de ses doigts, le bras ballant...

Un deuxième avertissement convia vivement les visiteurs à quitter le bord. Celui-là, manifestement, fut enfin pris au sérieux.

Et lorsque le dernier visiteur eut franchi la passerelle, ce fut le grand commencement. Maggie, ne sachant que regarder d'abord et courant d'un bord à l'autre du pont, suivit des yeux toute l'opération. Bientôt, le grand transatlantique, lentement, allait se détacher du quai, l'heure exacte de son départ dictée par l'étale* du jusant**.

Maggie vit des tracteurs électriques surgir sur le quai et se précipiter sur les passerelles pour les emporter vers quelque hangar. Des hommes alors s'approchèrent des bornes d'amarrage pour en

* L'étale : mer étale, dont le niveau est stationnaire entre la marée montante et la marée descendante.

** Jusant : mouvement de la marée qui baisse.

détacher les amarres, que Maggie entendit ferrailler abominablement le long des tôles du navire, tandis que des cabestans à moteur électrique les remontaient sur les ponts. Pendant ce temps, sur le bassin, deux petits remorqueurs pétaradants venaient se placer, poussifs, l'un à l'arrière et l'autre à l'avant du bateau, prêts à le diriger vers le fleuve et attendant les ordres. Et depuis les ponts du bateau, d'où ils avaient vue sur ce qui échappait au rouf central, des officiers en uniforme d'un blanc éclatant, munis de talkies-walkies, s'apprêtaient à donner leurs indications aux occupants du rouf.

Alors des giclées de confettis, pareilles à des arcs-en-ciel, relièrent un dernier instant le bateau en partance au quai fourmillant de parents et d'amis, tandis que la sirène du paquebot, brusquement, lançait en guise de dernier adieu son mugissement traditionnel. Maggie, qui ne s'y attendait pas, en eut un violent sursaut. Puis, lorsque le son mourut doucement, se transformant en soupir, des larmes jaillirent de ses yeux. « Adieu tout le monde, là-bas, à Tilton, Iowa, USA », se dit-elle. Et dans ce brusque accès d'émotion étaient inclus, curieusement, jusqu'à son petit frère, Sam, et jusqu'à sa meilleure amie, Diane.

Elle n'avait pas encore remarqué – elle le réalisait tout juste, à présent – que la foule massée sur le quai était en train de rapetisser tranquillement. C'était une sensation très curieuse, rappelant vaguement ce que l'on vit parfois en rêve.

Silencieusement, sans à-coups, si doucement qu'il ne semblait pas même bouger, le *Toscana* appareillait.

Et Maggie, voyageuse au long cours, se sentait vraiment toute bizarre.

Mais nul ne prêtait attention à elle; tout le monde était trop occupé à regarder lentement s'éloigner le quai, sur lequel des bras s'agitaient encore, ou à suivre des yeux les deux remorqueurs qui halaient le géant, tirant, poussant, ou à contempler la grande ville, là-bas, qui se déployait à l'infini, ancrée à terre.

Tout le monde regardait. Tout le monde, sauf une vieille dame, seule, un foulard noir noué sur ses cheveux gris. Elle venait de tourner le dos à tout cela. Elle pleurait.

Chapitre 3

A la timonerie régnaient le calme et le silence. On venait d'informer le capitaine que pour autant que l'on pût savoir tous les passagers inscrits étaient à bord – y compris une mineure non accompagnée –, que tous les visiteurs étaient bien redescendus à terre, et que les passerelles avaient été dûment enlevées. Lorsqu'il eut appris que la voie était libre, le capitaine donna l'ordre de faire route vers Lisbonne.

C'était pour le pilote de bassin le signal de prendre les choses en main. Il était ici, avec le pilote du port, le seul à porter le costume de ville; tout le restant du personnel, à la timonerie, portait l'uniforme blanc et bleu.

– En arrière toute, par bâbord deux! lança le pilote de bassin.

Le maître de timonerie en chef, à la barre, répéta l'instruction, qui fut répercutée ensuite aux télégraphes par les maîtres de timonerie.

Puis le pilote de bassin, dans son talkie-walkie, lança une instruction à l'adresse de la *Maureen*, et la *Maureen*, de deux petits coups de sifflet, annonça qu'elle avait bien entendu.

Doucement, sereinement, sans bruit, le grand paquebot quittait à reculons le bassin, glissant vers le fleuve. (Le loup de mer avait eu raison : c'était bien l'arrière du bateau qui était tourné vers le fleuve.) A moins de baisser les yeux vers l'eau sombre et sale, et de la voir alors bouillonner, il était impossible de deviner l'énergie déployée sous un déplacement si doux.

En un rien de temps, le pilote de bassin en avait terminé de sa tâche, qui consistait à guider le bateau jusqu'au fleuve et à le placer dans la bonne direction. Il émit le souhait qu'aucun détourneur de paquebot ne se trouvât à bord, qui viendrait saboter son travail, et puis aussi, oui, que cette forte tête d'Amy dédaignerait de leur rendre visite (Amy était un ouragan annoncé ce jour-là au large des Bermudes, et que les météorologues avaient catalogué dangereux). En d'autres termes, il leur souhaitait une traversée de routine. Sur quoi il prit congé, et s'enfonça dans les profondeurs du paquebot pour en ressortir peu après, au niveau de l'eau, par une porte s'ouvrant dans la coque, devant laquelle l'attendait un remorqueur.

C'était à présent au tour du pilote de port de prendre les choses en main. Il les guida le long du fleuve, leur fit franchir la pointe de Manhattan, s'engager dans l'Upper Bay, passer devant l'île Ellis, les îles Governor, la statue de la Liberté, puis s'engager dans le détroit et passer sous le grand pont de Verrazano, qui relie Brooklyn à Richmond...

Au moment même où le bateau passait sous le pont de Verrazano, l'officier en second gagna le château pour venir annoncer que tout était en ordre en bas, ce qui signifiait en clair, entre autres choses, que l'on venait d'effectuer les recherches de routine en vue de débusquer d'éventuels passagers clandestins, et qu'aucun n'avait été trouvé. Le capitaine leva les yeux de la carte météo qu'il était en train d'étudier (Amy pouvait fort bien n'avoir pas l'intention de plaisanter, finalement), et fit signe qu'il avait entendu.

Lorsque le paquebot, lentement, s'engagea dans les hauts-fonds du chenal Ambrose, le capitaine se leva, flegmatique, mais l'œil aux aguets. Certes, le pilote de port connaissait ces eaux et leurs fonds comme sa poche, et certes encore c'était lui, pour le moment, qui donnait les ordres; il n'empêche que c'était le capitaine, en dernier ressort, même à cet instant, qui était responsable de son bateau.

Bientôt apparurent, droit devant, le phare d'Ambrose et le grand large, et une vedette s'approcha pour reprendre à son bord le pilote de port. Le capitaine sortit sur la passerelle de commandement, afin de regarder le pilote descendre par une étroite échelle de corde, accrochée à l'ouverture dans la coque, et sauter d'un bond dans la vedette. Quand la mer est forte un tant soit peu, ce saut n'est pas sans risque; si le bateau qui attend le pilote n'est pas à l'endroit précis où il devrait être, ou si le pilote a mal calculé son coup, le bond peut se terminer par un dangereux bain forcé. De loin en loin, quand la mer est vraiment grosse, il arrive qu'un pilote ne puisse regagner la terre, et qu'il se fasse offrir malgré lui une petite croisière vers l'Europe. C'est assez rare. Malgré tout, même ce jour-là où la mer pourtant n'avait rien de féroce, le capitaine suivait attentivement des yeux le pilote et la vedette qui dansait sur l'eau comme un bouchon. Lorsque enfin le pilote fut en sécurité à bord de la vedette et qu'il eut salué d'un grand signe de bras, le capitaine se retourna pour ordonner : « Lancez les machines! » C'était à lui, désormais, et à lui seul, de prendre en charge le bateau jusqu'à Lisbonne.

Pendant la durée de ces opérations, Maggie, de son côté, n'était pas restée inactive. Elle avait extrait de son sac une carte du bateau et s'était mise en devoir de la réétudier pour la énième fois. Toute la famille, pourtant (ses parents, Tante Harriet, Maggie et son frère), avait déjà si souvent déplié cette carte pour se pencher dessus que la malheureuse tombait presque en morceaux. Sam raffolait de l'idée qu'il y avait à bord une salle de cinéma et de théâtre, plusieurs piscines, un gymnase, et des terrains de tennis et de jeu de galets. Leur père avait aussitôt repéré la bibliothèque et la salle de lecture – voilà où il se sentirait chez lui. Il avait aussi décidé qu'il prendrait son cocktail de midi au Capri et son cocktail vespéral au Portofino, sans parler de son café de l'après-dîner, suivi d'un petit cognac, qu'il se voyait plutôt déguster au salon San Remo. Après quoi, sa femme et lui iraient faire un tour de valse à la salle de bal (on les prendrait pour Fred Astaire* et Ginger Rogers**)... Quant à sa mère, manifestement, sa vie à bord se partagerait entre le salon de jeu de cartes, où elle chercherait des partenaires pour un poker, et le restaurant San Remo; elle se délectait à l'idée de déguster une cuisine faite par d'autres, dans une vaisselle lavée par d'autres, et de se contenter d'aller digérer ces festins dans quelque transat, sur un pont, douillettement blottie sous des couvertures; le breakfast, naturellement, serait servi au lit. Tante Harriet, pour elle, trouvait mer-

* Fred Astaire : danseur de claquettes.
** Ginger Rogers : danseuse de claquettes.

veilleux qu'il y eût une chapelle à bord. Et la voisine d'à côté, pourvue de cinq enfants, estimait que ce qu'il y avait de mieux, à bord d'un transatlantique (et même ce qu'il y avait de mieux dans une croisière), c'était cette immense salle de jeu pour enfants, avec marionnettes, chevaux de bois et autres distractions, et surtout, surtout, une jardinière d'enfants pour s'occuper de tout ce petit monde!

Et Maggie, elle, dans tout cela? Qu'est-ce qui l'attirait le plus? Quel serait son coin favori? avaient-ils tous désiré savoir. Pour Maggie, c'était le salon de coiffure, où l'on rendrait à la raison ses cheveux frisottants, le salon de massage, d'où elle ressortirait avec des mensurations idéales, et peut-être aussi l'infirmerie, où l'on tenterait de venir à bout de son incurable mal de mer. Quand Sam avait compris de quoi retournait le mal de mer, il s'était mis à faire des grimaces et des bruits tellement évocateurs qu'on lui avait dit d'arrêter tout de suite, sans quoi jamais Tante Yvonne ne lui paierait à lui de traversée de l'Atlantique ni d'été en Italie. « Le veinard! » avait songé Maggie – et tel était bien encore son avis.

Et puis, un soir, sa mère avait tracé un

cercle rouge, sur le plan, autour de la cabine de Maggie, et une ligne en pointillé menant à la sortie de secours la plus proche, tracé qu'elle avait prié sa fille de tâcher de retenir pour être capable de le retrouver, en cas de besoin. « Quel cas de besoin? » avait demandé Maggie d'une voix chevrotante. « Oh! est-ce que je sais, moi? » avait répondu sa mère, évasive. Comme si tout le monde ne savait pas que les catastrophes en mer, ça existe.

Mais tout cela n'avait été qu'un jeu, autour de la table de la cuisine. A présent, ce n'était plus un jeu. Et Maggie, plan en main, était bien décidée à trouver le moyen de s'orienter sur ce bateau, dût-elle ne rien faire d'autre durant tout le voyage. Cependant, comme elle tenait également à adresser ses adieux personnels au continent américain, et par-dessus tout à la statue de la Liberté, elle s'était donné pour objectif, en premier lieu, d'apprendre à s'y retrouver parmi les ponts découverts.

Après avoir parcouru, en long en large et en travers, chaque mètre carré de chaque pont découvert, Maggie avait fait halte pour regarder repartir le pilote de port. Quand il eut disparu, elle constata qu'un bon petit vent venait de se lever. Replongeant le nez dans sa carte que le vent faisait battre, elle essayait tout en marchant de repérer par quel chemin gagner le pont où se trouvait la piscine lorsqu'elle entra en collision avec le garçon au casque colonial.

– Mince alors, je suis vraiment désolée, s'empressa-t-elle de bredouiller, avant qu'il n'eût le temps de proférer de nouveau des injures.

Mais il ne semblait pas disposé à jurer cette fois-ci. Il se contenta de l'étudier d'un regard intéressé, ses yeux allant du plan du bateau au nez de Maggie, et du nez de Maggie au plan du bateau.

– Je... Je suis en train d'essayer de m'y retrouver sur ce bateau, expliqua Maggie, sur le ton de l'élève bûcheur que ses copains accusent de toujours potasser.

L'autre continua de la dévisager. L'imagination de Maggie lui jouait-elle encore des tours, ou la regardait-il d'un œil soupçonneux?

– Je n'arrive pas à me repérer, moi, sur ce bateau, insista-t-elle. Je sais, on pourrait dire que je nage complètement...

Et, à sa grande horreur, elle pouffa

elle-même, d'un petit rire bref, de sa propre plaisanterie.

Quant à son interlocuteur, ou bien il n'avait rien vu là de drôle, ou bien il était trop bête pour saisir le jeu de mots. Toujours est-il qu'il ne sourcilla pas. Il doit être idiot, décida Maggie.

– Bien! à la prochaine! lança-t-elle.

L'autre s'écarta de côté et la laissa passer.

Au bout de quelques pas, elle ne put se retenir de jeter un coup d'œil en arrière par-dessus son épaule. Le garçon justement était en train d'en faire autant. Leurs regards se croisèrent. C'était abominablement embarrassant.

Le continent américain rétrécissait à vue d'œil, la brise prenait de la force, et un léger roulis, à présent, se faisait sentir sous les pieds. Bonté divine! se dit Maggie, nous devons être en pleine mer, à présent. Elle s'approcha du bastingage pour balayer le paysage du regard, consciencieusement. « Maggie, qui est allée en mer, entendait-elle Mlle Hinkley annoncer, va nous dire à présent à quoi cela ressemble. » A de l'eau. A beaucoup, beaucoup d'eau. A rien d'autre que de l'eau. De l'eau inquiétante, et sombre, et profonde. « Eh bien! reprenait Mlle Hinkley à la cantonade, de sa voix doucereuse, on ne peut pas dire que Maggie ait précisément le sens de la poésie. » Pourtant, c'était bien de l'eau, profonde avant tout, oui, terriblement, terriblement profonde. Elle ne se souvenait pas d'avoir lu, dans les textes de Conrad étudiés en classe, une allusion à cette profondeur effarante. Et que se passait-il donc, là-dessous, dans ces noires profondeurs? Qui s'employait à dévorer qui? Elle se détourna de sa contemplation. Cette information-là, elle pouvait s'en passer.

Alors Maggie, voyageuse au long cours, décida qu'il était temps d'aller voir ce qui se passait ailleurs – plus haut ou plus bas? Peu importait : ailleurs.

Ce ne fut pas sans mal, mais elle parvint à retrouver sa cabine. Elle tournait sa clé dans la serrure lorsqu'une voix la prévint :

– C'est ouvert.

Il serait malaisé de dire qui fut la plus surprise à l'apparition de l'autre, de ces deux étrangères qui allaient se partager, durant dix jours et onze nuits, une cabine de quatre mètres carrés, un cabinet de toilette et *un* lit... (Hé! qu'est-ce que c'était que ce gag? Ne devait-il pas y avoir, au moins, deux couchettes superposées?)

– Seigneur, mais tu es une enfant!

La dame qui venait d'émettre cette remarque (d'ailleurs plutôt destinée à elle-même), Maggie la reconnaissait à présent : c'était la dame qui pleurait sur le pont, au moment du départ. Cette dame à cheveux gris, aux yeux d'un bleu glacé, c'était une très vieille dame... voyons, comment disaient donc les adultes? Ah! oui, une « personne du troisième âge »! Or, Maggie, voyageuse au long cours, n'avait jamais, jamais de sa vie, connu intimement de « personne du troisième âge ». Et voilà qu'elle en avait une pour compagne de cabine! C'était la plus abominable calamité possible et imaginable. Et cette personne du troisième âge, manifestement, attendait à présent de Maggie qu'elle prononce une quelconque parole.

– Je crois, oui, bredouilla Maggie.

– Que crois-tu donc?

– Que je suis une enfant...

La personne du troisième âge avait entrepris de défaire ses paquets. Le lit unique était recouvert de vêtements – des vêtements de vieille dame. (L'idée d'avoir à se déshabiller devant cette personne du troisième âge, ou, pire, de la voir en faire autant, était tout simplement atroce.) Tenant devant elle à deux mains, comme un bouclier protecteur, une robe de soie noire et fluide pardessus laquelle elle regardait Maggie, la personne du troisième âge reprit :

– Ce n'est pas moi qui te blâmerais le moins du monde si tu éprouves des doutes à ce propos, petite fille. Je t'avouerais que ce qui m'étonne, de nos jours, c'est de ne pas vous voir les cheveux blancs, à vous autres enfants, avec tous ces soucis qu'on vous inflige – la drogue, la pollution, le sexe, les mouvements de libération de la femme, le déficit extérieur, et j'en passe ! Ma foi, quand j'avais ton âge... (Là-dessus, les yeux bleus s'arrondirent encore un peu plus, l'air soudain anxieux.) Mais quelle idée saugrenue de nous avoir installées toutes deux dans la même cabine ! Où avaient-ils la tête ? Il faut aller voir le commissaire de bord pour lui demander d'arranger ça tout de suite ! Il doit y avoir erreur, ce n'est pas possible. Je ne connais personne de ton âge. Je ne saurais pas m'y prendre, avec toi!

– Et moi non plus je ne connais personne du troisième âge. Je veux dire, pas intimement. Je n'ai plus de grands-parents.

– Du *troisième âge*? (Les yeux de sa compagne de cabine lançaient des éclairs.) Tu as bien dit : une personne du troisième âge?

Maggie eut un mouvement de recul.

– Euh... Je vous demande pardon...

– Appartenir au *troisième âge*, moi? Ai-je l'air de quelqu'un qui tourne autour du pot, pour accepter ce genre d'euphémisme? Ai-je l'air de quelqu'un qui accepterait de se résigner à une vie de loto, de macramé, et de joyeuses réunions autour de galettes des rois? A ton avis?

Maggie était pétrifiée. Oh! si le bateau pouvait couler, là, tout de suite! Euh... Non! Non, s'il vous plaît, tout de même pas!... Mais quelle abominable gaffe venait-elle donc de faire, que Tante Yvonne n'avait pas prévue?

– Je vous assure, je suis vraiment désolée..., avança-t-elle timidement. Mais à la télé, vous savez, et aussi dans cette publicité pour les résidences Automne d'Or... Euh... Je veux dire... Je croyais que c'était comme ça qu'il fallait dire... euh... que c'était une façon polie d'appeler... les... une...

– Une vieille dame?

– Oui.

– Comment t'appelles-tu?

– Maggie.

– Eh bien, Maggie, fais un souhait. Souhaite de tout ton cœur, lorsque tu auras mon âge, de devenir tout simplement une vieille dame, et non cette invention burlesque et commode qu'est un « membre du troisième âge ». Crois-moi. (Elle venait d'abaisser son paravent de soie noire.) Pour ma part, vois-tu, moi, Miranda Stone, je suis une vieille dame, et je n'ai pas l'intention d'être autre chose, et je le resterai, contre vents et marées, jusqu'à ce que le Seigneur me fasse signe. Je vais te dire : c'est même pour cela que je m'en vais vivre désormais loin d'ici, sur une colline de l'arrière-pays niçois. Pour jouir de mes vieux jours en paix, à mon idée. Et pendant que mes semblables des Etats-Unis, tous « membres du troisième âge », s'amuseront à parsemer de germes de blé leurs céréales du petit déjeuner, pendant qu'ils se gaveront de gélules et de comprimés ordonnés par leur gérontologue, moi, sais-tu ce dont je me régalerai, tous les matins que Dieu fera?

Maggie se tut, ignorant la réponse.

– Bien sûr que non, tu ne le sais pas. Comment pourrais-tu le savoir? (Elle ferma les yeux, comme en extase.) Moi, Miranda Stone, je me délecterai de figues fraîches, ou d'irrésistibles abricots rose doré, ou de grappes de raisin (ou peut-être des trois à la fois), avec un petit verre de champagne. (Elle rouvrit les yeux.) Tous les jours que Dieu fera. Peut-on rien rêver de meilleur pour terminer ses vieux jours en beauté? Imagines-tu pareil régime sur la table de l'une de tes « personnes du troisième âge »?

– A vrai dire, non.

– Nc trouves-tu pas qu'il y a de quoi rêver?

Du menton, Maggie approuva.

– Mais il n'est question que de moi, ma parole! Et toi? Quel est ton breakfast de rêve, dis-moi?

– Euh... du rosbif, pas trop cuit, et... et de la bière.

Rien n'était plus faux : ce que Maggie

préférait, le matin, et ce qu'elle préférerait toute sa vie, elle en était sûre, c'était des crêpes ruisselantes de vrai sirop d'érable, avec une montagne de tranches de bacon bien grillé, et puis du café – de ce merveilleux café noir et odorant, spécial grandes personnes, auquel Sam n'avait pas droit.

Miranda Stone devint songeuse.

– Le poète Auden estime que ces histoires de fossé des générations ne sont qu'une invention absurde. Il dit que simplement jeunes et vieux n'ont pas les mêmes souvenirs...

Elle se tut, étudiant Maggie d'un regard franc, ouvertement scrutateur. Puis elle hocha la tête, apparemment satisfaite de ce qu'elle y avait lu, et poursuivit :

– Oui. Oui, je pense qu'il est dans le vrai. Toi et moi pourrions sans doute échanger nos souvenirs. J'en ai de magnifiques. Et quelque chose me dit que tu dois en avoir de tout à fait intéressants de ton côté. Peut-être après tout pourrions-nous envisager de rester compagnes de cabine ?

Maggie n'en était pas si sûre, mais elle acquiesça cependant.

– Au fait, il me semble que c'est plutôt rare à ton âge de faire croisière vers l'Europe en solitaire, non?

Là, Maggie était tout à fait d'accord; elle expliqua qu'elle voyageait en « mineure non accompagnée ».

– Je te promets, si nous demeurons ensemble, que tu resteras « non accompagnée ». Je n'ai aucune envie de m'arroger le titre de « subrogé tuteur », ou de substitut de grand-mère, ou de quoi que ce soit de ce genre. Aucune. Tout ce que tu feras ne regardera que toi seule – et je compte que tu me rendras gentiment la pareille. Il faut que tu saches, cependant, qu'il m'arrive, je crois, de ronfler la nuit. Et que vers quatre heures du matin – ça, j'en suis sûre – j'ai besoin de faire un brin de lecture. Et toi?

– Moi! Oh... moi, la nuit, je crois qu'en général jc dors.

– Parfait. Mais je veux dire, rien qui puisse me mettre les nerfs en pelote?

Maggie jeta sur l'unique lit un regard lourd d'appréhension.

– C'est-à-dirc qu'aussi je donne des coups de pied, quand je dors. Et je remue beaucoup. Une fois, j'ai tant donné de coups de pied que ma meilleure amie, qui dormait avec moi, en est tombée du lit.

– C'est ce que j'appellerais de la fougue! Mais tu n'auras pas l'occasion de l'exercer sur moi. (Du doigt, elle indiquait une sorte de renflement au-dessus du lit.) Tu auras la couchette supérieure pour toi toute seule, vois-tu? Si tu gigotes trop, non seulement tu feras tout grincer au point de me rendre folle, mais bien plus sûrement encore tu te retrouveras par terre. Et c'est une assez jolie chute, de la couchette supérieure au sol. Alors? Te sens-tu prête à dormir bien sagement?

– Peut-être... peut-être ferions-nous mieux d'aller voir le commissaire de bord?

– Hmm... Rien ne presse. Dis-toi bien que nous pourrions trouver pire, toi et moi. Bien, bien pire. Nous pourrions nous retrouver, l'une comme l'autre, avec une « personne du troisième âge »! (L'idée lui donnait le frisson.) Ecoute-moi, ma chère enfant. Je crois que nous serions plus sages d'essayer de voir, d'abord, comment nous nous accommodons l'une de l'autre.

Maggie n'était pas du tout, du tout d'accord, mais elle n'eut pas le courage de le dire. Deux détails inattendus, par bonheur, vinrent l'un après l'autre détourner le cours de ses pensées en désarroi. D'abord, son gros sac de voyage était là, dans un coin, miraculeusement sain et sauf. Ensuite, quelque chose vint se glisser en double exemplaire sous la porte de la cabine.

– Tiens, le programme!

Très intéressant, le programme. Il commençait par souhaiter la bienvenue à tous les passagers, ce qui, de l'avis de Maggie, était réellement sympathique de la part du personnel du paquebot. Ensuite, il vous indiquait tout ce qui allait avoir lieu à bord – où, quand et à quelle heure –, à quel concert assister, quel film aller voir, où et de quoi dîner, où jouer au bingo, comment rencontrer le personnel et les artistes (???), où prendre un buffet froid, où aller danser. A ce propos, si elle faisait partie des « jeunes adultes » (entrait-elle ou non dans cette catégorie?), on lui indiquait où et quand l'on pouvait danser du crépuscule à l'aube – orchestre et discothèque –, et si elle était à compter parmi les « enfants » (entrait-elle ou non dans cette catégorie?), il était stipulé que les salles de danse lui étaient interdites après dix heures du soir (ah bon, et pourquoi?), et que ses parents (hé?) étaient priés de bien vouloir veiller à ce qu'elle n'aille pas courir seule un peu partout sur le bateau. Le programme donnait aussi (horreur!) maints sages conseils sous la rubrique « sécurité en mer », soulignant par exemple que les fumeurs insouciants étaient un véritable péril pour la sécurité de chacun. (Maggie jeta un coup d'œil sur sa compagne de cabine : entrait-elle dans cette catégorie?)

– « Pour ce premier soir à bord, l'habit de soirée n'est pas de rigueur », lut tout haut Maggie, que ce conseil dans le style de ceux de Tante Yvonne mettait plutôt mal à l'aise. « Personne, rigoureusement personne, avait précisé Tante Yvonne, ne s'habille pour le premier soir, pas plus d'ailleurs que pour le dernier. »

– Ce sont là des choses que tout le monde savait naturellement, naguère, au temps de mes premiers voyages, fit observer la vieille dame, occupée pour l'heure à replier avec soin de curieux effets de soie blanche qui intriguaient fort Maggie.

La vieille dame n'allait tout de même

pas porter ces drôles de caleçons mi-longs et ce haut curieusement décolleté, si ?

– Ce sont mes dessous, chère enfant, mes dessous, expliqua la vieille dame, en réponse à son interrogation muette. On appelle cela, vois-tu, une culotte et une chemise, ou plus exactement, moi, je les appelle encore ainsi. J'imagine que c'est ta première traversée?

Maggie répondit que oui, c'était sa première traversée, et elle entreprit de tout expliquer sur sa tante Yvonne et l'été italien que cette dernière avait tenu à lui offrir. La vieille dame, en échange, lui révéla qu'elle était veuve et sans enfant, et que ce serait sa dernière traversée.

– Ta tante Yvonne t'a-t-elle dit comment procéder pour réserver une place à la salle de restaurant ?

– Houps! Je ne sais plus trop.

C'était un pieux mensonge. Simplement, Maggie se voyait mal aller trouver le responsable, un certain « maître d'hôtel », pour le prier de lui trouver une place « convenant à une personne de son âge, si possible auprès d'une famille *bien comme il faut,* avec des enfants de son âge, *bien élevés* si possible ». Et si, pour quelque raison, le choix proposé se révélait non satisfaisant, elle était censée aller retrouver le « maître d'hôtel» pour lui demander à changer de place au plus vite. Misère! Elle ne se voyait guère effectuer pareille manœuvre, même si c'était là « une démarche tout à fait acceptable à bord d'un paquebot de croisière, à condition d'être effectuée le plus tôt possible, et avec la plus grande courtoisie ». Personnellement, elle se voyait plus facilement se jeter par-dessus bord. Enfin, presque. Et elle était bien décidée à prendre ce qui viendrait, même si cela devait se révéler mortellement casse-pieds. (Mme Stone l'avait déjà prévenue, d'entrée de jeu, qu'elle demandait toujours une table en solitaire.)

Mme Stone suivit avec intérêt la séance d'essayage de Maggie et ses différentes transformations à vue; Maggie s'efforçait de se trouver une « tenue ordinaire » à sa convenance. Tout ce qui sortait de ce sac de voyage était abominablement neuf! De plus, tout ce qui lui avait paru si merveilleux dans le magasin, à Tilton, Iowa (USA), vous prenait un petit air affreusement tarte dans cette

cabine du *Toscana*... Mme Stone, pour sa part, avait fixé son choix sur ce qu'elle nommait du « grand classique pour vieille dame » – soie noire, manches longues, et pas de taille marquée.

– Allons bon, qu'est-ce qui n'allait pas, cette fois? s'enquit gentiment Mme Stone, comme Maggie s'apprêtait à se dépouiller du résultat de son troisième essai.

– Je trouve que ça fait pedzouille, condamna Maggie. J'ai l'air de n'être jamais sortie de ma cambrousse, là-dedans!

Mme Stone parut méditer là-dessus. Puis elle avança qu'à son avis, étant donné la mode actuelle, où le fin du fin était d'avoir l'air d'être ce qu'on n'était pas – que ce soit gitane ou millionnaire en safari ou mère-grand du temps des pionniers –, rien ne prouvait que faire « pedzouille » (ou sembler n'être jamais sorti de sa cambrousse) n'était pas précisément *le dernier cri,* la toute dernière pointe de la mode, encore inconnue à Tilton, Iowa; si bien que, ma foi...

Mme Stone, pleine de tact, avait laissé le reste de sa phrase en suspens.

– Autrement dit, voulut savoir Maggie, vous pensez que du fond de ma cam-

brousse, de toute façon, je ne pourrais même pas savoir ce qui est à la mode?
– Tout juste. Aussi me semble-t-il que le mieux, pour toi, serait de prendre les choses philosophiquement, et d'être tout simplement toi-même.

Prendre les choses philosophiquement? Quand on vient juste de s'entendre dire, sans équivoque possible, qu'on n'est jamais sorti de sa cambrousse et que ça se voit? Cette vieille dame n'avait sûrement jamais entendu parler des problèmes d'identité des adolescents et préadolescents, ma parole! Etre soi-même? Quelle idée! Ignorait-elle donc, cette Mme Stone, que vous étiez supposé n'avoir pas la moindre idée de *qui* vous pouviez être – en tout cas, certainement pas avant d'avoir obtenu votre doctorat en psychologie, ou d'avoir été psychanalysé à Des Moines, ou d'être allé à Katmandou converser avec un gourou, ou peut-être simplement d'avoir eu un coup de chance; même ses parents à elle, Maggie, savaient cela! Oui, même eux savaient qu'il en est des personnalités comme des robes : on les essaye. Maggie, pour sa part, avait essayé jusqu'ici successivement : une personnalité de championne de tennis (mais avec ses genoux rentrants et son désastreux revers*, ce n'était pas l'idéal); une personnalité de danseuse étoile (idem pour les genoux, et les orteils trop peu solides pour faire les pointes); une personnalité de majorette (qui n'avait servi qu'un jour, entièrement passé à faire stupidement voltiger un bâton, au jardin); une personnalité de maîtresse de maison, le temps d'une grippe de sa mère (et c'était le personnage le moins drôle à jouer, parce qu'on n'en finissait jamais); sans parler, naturellement, de personnalités diverses et plutôt banales, comme celle de Barbara Streisand, Carole King... Et maintenant, bien sûr, elle essayait d'essayer celle de Maggie, voyageuse au long cours.

Elle conserva sur elle la dernière tenue enfilée.

A la salle à manger, Maggie était attendue. Elle eut l'impression, décidément, que les mineurs non accompagnés ne devaient pas être légion à bord. Un homme qui lui sembla être le fameux « maître d'hôtel » s'avança à sa rencontre, accompagné de comparses qui

* Revers : terme de tennis.

avaient plutôt l'air de jouer les mouches du coche, et tous commencèrent par la dévisager de la tête aux pieds, avant de se plonger dans l'étude d'un plan de la salle sur lequel étaient griffonnés des noms (comme s'il s'était agi d'un puzzle et qu'elle-même fût une pièce en provenance d'un autre puzzle). Là-dessus, ils se mirent à discuter un peu fort en italien, secouèrent la tête avec ardeur, firent quantité de grimaces et, pour finir, haussèrent les épaules avec un bel ensemble. La *bambina* – non, non, la *signorina*, rectifia sévèrement le maître d'hôtel – devait venir par ici.

Elle obéit, docile. La salle à manger était une immense salle de restaurant, emplie d'une inimaginable foule de convives, et la traversée de cette grande pièce, sur les pas du serveur, parut à Maggie atrocement longue. Tout le monde – elle en était certaine – tout le monde relevait le nez de son assiette pour suivre des yeux cette créature sortant de l'ordinaire, une mineure non accompagnée. Ce qui était atrocement court, par contre, c'était sa robe, et elle raccourcissait de seconde en seconde, tandis que son cher grand sac, lui, prenait des dimensions jamais atteintes; et ses chaussures craquaient. Par-dessus le marché, le bateau roulait et tanguait mollement, si bien qu'il fallait marcher avec précaution si l'on tenait à ne pas atterrir dans la soupe de l'un des convives. Là, vraiment, elle aurait bien voulu voir son père, ou sa mère, ou n'importe lequel de ces beaux parleurs, trouver quelque chose à dire pour la rasséréner, pour transformer en taupinières ces montagnes d'atrocités.

On lui indiqua une table à laquelle un monsieur et une dame, d'âge incertain, s'occupaient à déguster de drôles de choses – soit des œufs vraiment minuscules, soit des perles, soit des... des yeux? Miséricorde!

Ils lui adressèrent un sourire, qu'elle leur rendit poliment. Ils échangèrent deux ou trois mots, en une langue qui pouvait bien être du javanais. Mais non, le javanais, elle connaissait. Et ce langage-là, sûrement pas.

– *Buona sera, signora,* dit le serveur.

– Comment?

– Bonsoir, *signorina,* traduisit le serveur.

Il n'était pas mal du tout, dans sa veste

blanche; il était même aussi beau qu'un acteur de cinéma, avec son grand sourire et ses yeux étincelants.

Le menu, quant à lui, était positivement fantastique. Long comme ça, et pas besoin de se soucier des prix! Une fois, de loin en loin (et même de très loin en très loin), toute la famille allait au restaurant, à l'occasion de quelque anniversaire. Mais il fallait toujours faire semblant de ne pas se sentir inspiré par le steak ou par le rosbif, et de mourir d'envie, au contraire, de poulet ou de queue de bœuf ou de n'importe quel autre plat plus accessible au portefeuille paternel.

L'inconvénient de ce menu de conte de fées, c'était qu'il n'offrait pratiquement que des plats dont Maggie n'avait jamais entendu parler, et dont elle se doutait de surcroît qu'elle ne saurait comment les manger. (Qu'allait-il apparaître si elle commandait du – ou de la – *beef tenderloin paillard pizzaiola* ou du *veal piccata?*) Pour ne pas prendre de risques, elle commanda sagement une côte d'agneau, qui se révéla fameuse, et une pomme de terre au four, qui ne l'était pas. Elle formula le vœu de ne pas oublier qu'il était hors de question de prendre l'os à la main pour finir de le nettoyer – c'était pourtant sur l'os que s'accrochait le meilleur.

Le serveur se pencha sur elle et lui chuchota, presque dans l'oreille :

– Et pour vous aussi, *signorina*, du caviar ?

Ainsi donc, le fameux caviar, c'était cela ? Pas terriblement engageant. Les milliardaires pouvaient se le garder; elle préférait de loin le beurre de cacahouètes.

– Euh... non merci, dit-elle.

Le serveur s'appelait Ricardo, et il était bien sympathique. L'aide-serveur s'appelait aussi Ricardo, et il était tout aussi sympathique. L'aide-serveur dit à Maggie qu'elle pouvait l'appeler Reeky; et que le couple de dîneurs dont elle partageait la table ne parlait pas un mot d'anglais : c'étaient des Albanais. Mais Maggie voulut savoir, étant donné qu'elle ne parlait pas un mot d'albanais, pour sa part, pourquoi on l'avait fait mettre à cette table.

– Maître couc, expliqua Ricardo.

(???)

Mais il ajouta aussitôt que de toute

façon c'était excellent de nc pas avoir à parler à qui que ce soit durant le repas; cela facilitait la digestion. Maggie approuva du menton. Les Albanais approuvèrent eux aussi, et adressèrent un sourire à Maggie. Maggie leur sourit en retour. Et tout le repas se déroula de la sorte, en sourires aller et retour, ce qui finit par rendre Maggie un peu somnolente, au point qu'elle dut plus d'une fois ravaler un bros bâillement.

Après le dîner, Maggie se trouva bien embarrassée pour décider de la suite, programme ou pas programme. Un peu plus tard, si du moins elle pouvait encore garder les yeux ouverts, elle irait au cinéma, ça, c'était décidé. Certes, le film annoncé au programme était un film italien, si bien qu'elle n'en saisirait pas un mot, mais quelle importance? C'était gratuit, et puis elle irait seule, seule dans la nuit, combinaison de circonstances par trop exceptionnelle pour laisser passer l'occasion.

En attendant l'heure de la projection, elle décida de poursuivre un peu son exploration du paquebot.

Dehors, il commençait à faire sombre, et le bateau semblait entouré de plus d'eau que jamais. Le roulis s'était fait si net et si précis que le plancher du pont, par moments, se dérobait sous ses pieds, ou que ses pieds voulaient descendre quand il s'agissait de monter. C'était assez excitant, malgré tout, et même un peu romantique, avec en plus un zeste de frisson. L'étrave du paquebot fendait la mer, droit devant, et Maggie contempla un moment les tourbillons furieux, que les lumières du bateau, un instant, faisaient au passage étinceler de blanc. Il y avait là de quoi vous hypnotiser, à son avis. L'idée de se laisser hypnotiser l'avait toujours fait fuir, même lorsque l'hypnotiseur ne devait être que Diane, qui jurait d'ailleurs être capable aussi de vous sortir de votre transe, après coup. Diane disait que c'était idiot de sa part de ne pas se laisser hypnotiser.

Idiote ou non, Maggie s'arracha à ce spectacle pour reprendre son exploration à l'intérieur du bateau. Au fil de ses pérégrinations, elle passa devant divers petits groupes amicaux. Les uns sirotaient du café dans les salons, d'autres étaient déjà lancés dans de grandes parties de cartes (ceux-là lui rappelaient sa mère et, si elle n'y prenait garde, elle allait bicntôt avoir envie de pleurer), d'autres encore étaient accoudés au bar. Elle passa devant un groupe d'enfants vaguement agglutinés, et qui s'employaient semblait-il à faire connaissance les uns avec les autres, d'une manière plutôt empesée. Maggie songea un instant qu'il lui fallait peut-être se caser là, mais Dieu merci les vingt-quatre heures fatidiques de Tante Yvonne n'étaient pas encore écoulées. Elle poursuivit donc son exploration solitaire, plan du bateau en main, vacillant et sautillant le long des couloirs et des escaliers.

C'est sur le pont principal qu'elle alla tituber quasiment dans les bras de M. Dumont – ou plus exactement, c'est lui qui vint, pour ainsi dire, s'effondrer dans les siens. Il sortait de la boutique de cadeaux, celle où l'on vendait (probablement à prix d'or) sacs à main et bijoux, écharpes, parfums et robes.

– Tiens tiens tiens, mais c'est ma chère amie Maggie? Alors, se fait-on à la vie à bord? A-t-on déjà le pied marin?

Cette façon de s'adresser à elle à la troisième personne (procédé utilisé par certains adultes pour faire, paraît-il, plus gentil) exaspérait proprement Maggie.

Aussi choisit-elle de mentir : en dépit de ses embardées involontaires et manifestes, elle répliqua sèchement que oui monsieur, merci beaucoup, elle se sentait déjà tout à fait le pied marin.

– Ah! je vois, un vrai petit mousse! Et n'oublie pas cette partie de jeu de galets, hein? Et n'oublie pas non plus (il agitait un doigt persuasif) que Roger Dumont est un ami. Quand on voyage seul, un ami est parfois bien utile. Ne l'oublie pas.

Maggie dédia à M. Dumont ce sourire que Sam appelait « son sourire de cactus à pattes », et elle s'éloigna en titubant de plus belle.

Le sommeil, tout doucement, commençait à la gagner; mais l'idée d'aller seule au cinéma, sans bourse délier, suffisait à la tenir encore éveillée.

Et, d'embardée en embardée, elle continuait à déambuler.

Elle passa devant un bar (désert, contrairement à d'autres), et longea un couloir, silencieux et désert également, histoire d'aller voir – si elle avait bien su lire son plan – à quoi ressemblait la salle de sports, qui devait se trouver par là...

La salle de sports se trouvait bien là,

mais la porte en était fermée à clé. Maggie reprit son plan et l'étudia un instant; un peu plus loin, en tournant à droite, au fond d'un petit bout de couloir, il devait y avoir un endroit qui s'appelait « sauna ». Qu'est-ce que c'est qu'un sauna? se demanda Maggie. Allons voir.

Chemin faisant, elle avisa une porte indiquant SOLARIUM. Intéressant. Cette porte-là n'était pas fermée à clé; Maggie passa la tête par l'entrebâillement. Bigre, il faisait sombre à l'intérieur! Elle fit pourtant un pas en avant; ses yeux allaient s'habituer, et la lumière du couloir devait suffire...

Mais quelque chose se rua devant elle, et la porte du couloir se referma à la volée. Maggie entendit une targette se tirer.

Elle poussa un cri perçant

– Boucle-la, imbécile!

Cet ordre chuchoté, dans l'obscurité totale, acheva de la terroriser.

Maggie, voyageuse au long cours, était maintenant clouée sur place, glacée d'horreur, au bord de la syncope... Voyons. Peut-on réellement mourir de peur?

Le faisceau d'une lampe de poche vint se braquer droit dans ses yeux. Elle amorça une retraite à reculons.

– Stop! Pas un geste! Sinon...

Elle s'arrêta net. La voix en fit autant. Seule demeura l'aveuglante lumière de la lampe de poche, pareille à un œil menaçant.

– On peut savoir ce que tu es venue faire là? reprit enfin la voix.

– Rien. Explorer. Voir. Pure curiosité. Oh! s'il vous plaît, laissez-moi m'en aller!

– Curiosité, hein? A la recherche de quoi?

Là-dessus la lampe de poche s'éteignit, ce qui était le pire de tout.

– J'ai posé une question. J'aimerais qu'on y réponde.

– Oui. Euh... non. Euh... je veux dire... je vous demande pardon, mais j'ai oublié la question.

– Oublié la question, mon œil. Bon. J'ai demandé : à la recherche de quoi au juste?

– Euh... du sauna.

– Ah! ouais, du sauna? En ce cas, qu'est-ce que tu fiches là?

– C'est-à-dire, je voulais voir aussi à quoi ressemblait le solarium.

– Tu parles! Et tu crois que je te crois? Ecoute voir : tu es complètement dingue ou quoi?
– Oh! oui... oui oui. Je suis complètement dingue. Alors, s'il vous plaît, je peux m'en aller?
– Pas question. Sûrement pas. Sûrement pas avant que j'aie trouvé ce que tu venais faire ici.
– Mais je l'ai dit : j'explorais. Juré sur l'honneur.
– Mmm-mmm. J'imagine que tu te crois futée, à te balader comme ça, partout, avec ton plan du bateau sous le bras, 'ce pas? Dis donc, à qui crois-tu donner le change, hein, avec tes trucs à la gomme? A eux, peut-être, mais sûrement pas à moi. A voleur, voleur et demi.

Maggie réfléchissait, les idées tournaient dans sa tête, vite, vite et en rond. La voix, sans doute possible, était celle de l'olibrius au chapeau colonial. A cela, rien d'étonnant, mais rien de rassurant non plus. Maggie n'avait jamais approché de près aucun spécimen de cette espèce dangereuse, le délinquant juvénile *vulgaris,* mais elle n'y tenait pas spécialement. Et surtout pas dans ce coin sombre et derrière un verrou.

– Je ne suis pas un voleur, hasarda-t-elle, tout en se demandant si c'était tellement le genre de précision à faire valoir.
– Qui a dit que tu l'étais, pauvre nouille? C'était une métaphore... enfin, je crois que c'est ça, une métaphore : une façon de parler, quoi! Non, ce que je voulais dire par là, c'est que si tu te figures que je ne sais pas ce que tu es, tu te fourres le doigt dans l'œil jusqu'au coude. Je t'ai démasquée au premier coup d'œil, moi!
– Ah bon? Et qu'est-ce que je suis?
– Ecoute, hein! Ne joue pas au plus malin avec moi; je t'assure que je ne plaisante pas! Comme si je ne le savais pas que tu es, comme moi, un passager clandestin! Seulement, je te le dis tout de suite, ici, c'est mon coin à moi! Trouve-toi autre chose! Et puis aussi, chacun pour soi, hein! Compris?
– Parce que... Parce que toi tu es un... un passager clandestin?

Le ton qu'avait pris Maggie (qui tombait réellement des nues) frappa son interlocuteur. L'espace d'une seconde ou deux, il en resta sans voix.
– Bon, ça va. J'abandonne. Mais qu'est-ce que tu t'imaginais? Que je jouais à cache-cache?

Bonté divine! Maggie, voyageuse au long cours, empêtrée à présent dans une histoire de passager clandestin! Dès le premier soir de sa traversée. Avant d'avoir eu seulement une chance de comprendre la règle du jeu, de savoir où trouver quoi, et qui appeler comment.

– Bon sang, dis quelque chose, chuchota l'autre, aussi secoué qu'elle.

– Mais que veux-tu que je te dise? Sinon... sinon au revoir et bonne chance!

Elle reprit sa manœuvre de retraite.

– Où vas-tu?

– A ma cabine, pardi.

– Ta cabine? Mais alors? Tu n'es pas un passager clandestin?

– Grands dieux, non. Moi, je voyage en « mineure non accompagnée ».

Cette appellation donna lieu à de longs éclaircissements chuchotés.

– Bon sang, pourtant, je t'assure, conclut le garçon, j'aurais juré que tu voyageais clandestinement toi aussi.

– Merci du compliment, dit Maggie, mais je n'aurais jamais assez de culot pour ça. Je trouve déjà bien assez dur d'être mineure non accompagnée. Tu ne dois pas manquer de cran, j'imagine. Et l'idée d'être pris, non, ça ne t'impressionne pas?

Il ne répondit pas tout de suite.

– Tiens, tu penses bien que si, finit-il par dire, hésitant. Et... tu comptes me dénoncer, maintenant?

– Evidemment que non.

– Merci. Mais... (il hésitait encore)... tu sais que du coup tu deviens complice?

– Ah!

Ce qui voulait dire, au juste? Risquait-elle de se voir mettre aux fers, ou infliger quelque châtiment maritime inconnu – conforme à des usages étrangers, de surcroît? Ou bien (pire encore) allait-elle devenir la honte de la famille? Le déshonneur de Tante Yvonne?

– Voilà qui te fait réfléchir, hein? En train de changer d'avis? Au fait, tu t'appelles comment?

– Maggie. Et toi?

– Jasper. Alors, Maggie, ta réponse?

– Je... Je réfléchis. Non, je ne change pas d'avis. Disons que je réexamine la question. J'essaie de me faire à cette idée, tu comprends.

De fait, elle commençait à se sentir bizarre, de plus en plus bizarre, dans cette drôle de situation; seule dans cette

obscurité oscillante, avec un délinquant juvénile.
– Vas-y, prends ton temps.
– Merci. Dis donc, j'y pense, comment comptes-tu faire, pendant dix jours, pour manger, te laver les dents et tout le reste ?
– J'ai déjà tout prévu.

Et tel semblait bien être le cas. Jasper n'était pas idiot, et il avait bien préparé son coup. La nuit, certes, il se cacherait, mais de jour, à son avis, le plus sage était de circuler ouvertement comme un passager ordinaire. La nourriture n'était pas un problème : il y avait toujours des quantités de buffets s'offrant à tout un chacun, à la piscine par exemple, et puis à onze heures des crackers et du consommé, et à quatre heures de l'après-midi du thé et des petits gâteaux, sans parler d'un énorme buffet campagnard vers les onze heures du soir. C'était fou ce que les gens pouvaient bâfrer à bord d'un transatlantique. A condition de se servir le plus naturellement du monde, on ne risquait guère d'éveiller des soupçons. Quant au lavage de dents, eh ! oui, il y avait songé ! Il avait sa brosse à dents et un petit tube de dentifrice dans la poche de son jean, ct il y avait partout des toilettes et des lavabos; rien qu'à deux pas du solarium, précisément... De plus, puisque à présent elle était sa complice, elle pourrait peut-être chiper pour lui quelques petits en-cas de temps à autre, n'est-ce pas?

– Chiper? Moi?

– Bon, ça va, laisse tomber, froussarde.

– A quoi songeais-tu, au juste?

– Ben... Il y a que je suis habitué à prendre un solide breakfast. Ici, je n'ai que quelques fruits. Je me disais que si tu pouvais mettre de côté quelques petits pains, et peut-être un peu de bacon – bien bien grillé – et peut-être une ou deux petites brioches... Tu as cette espèce de grand cabas que tu balades partout avec toi...

– Dis, ce n'est pas un cabas!

– Bon, d'accord, ce n'est pas un cabas. Mais c'est bien aussi grand, et tu ne vas pas me dire qu'il n'y a pas la place d'y transporter en douce de quoi faire un petit breakfast. Ou un petit repas, tout pareil.

– Peut-être, mais j'ai là-dedans un tas de trucs, moi! Et le bacon, c'est drôlement gras...

– Ecoute, dis-le tout de suite, hein, que tu ne veux pas m'aider!
– C'est que... (Maggie soupira.) Bon, je ne promets rien, mais si je le faisais, où est-ce que je te retrouverais, d'abord?
– Mouais. Bonne question. Disons... disons que tu pourrais me retrouver à la piscine Capri. A la piscine, c'est normal qu'il y ait toujours des tas de gosses, et ce ne devrait pas être sorcier de trouver un petit coin pour manger. Tu pourrais faire ça très tôt, dis? Je me réveille toujours très tôt, et j'ai faim tout de suite.
– Okay. Mais je te rappelle, je ne promets rien. Et maintenant, s'il te plaît, est-ce que je peux m'en aller? Je me sens vraiment toute drôle...
– Ouille ouille, nom d'une pipe, ne va pas être malade ici!

Hélas! Que n'avait-elle songé à cela plus tôt? Peut-être aurait-elle pu éviter de devenir complice?

Jasper tira doucement le verrou. Il lui demanda de lui laisser le temps de se cacher, avant de se glisser dehors; cela prenait un certain temps, parce qu'il fallait faire bien attention à ne pas envoyer par terre les lampes solaires.

– Comme si des lampes à ultra-violcts transformaient un cachot en authentique solarium! commenta-t-il sur le ton du mépris.
– Qu'est-ce qu'il y faudrait, à ton avis, pour que ce soit un authentique solarium? ne put se retenir de s'informer Maggie.
– Le soleil, tiens, pardi! Ou alors c'est un « lamparium »!

Jasper était peut-être un délinquant juvénile, mais le père de Maggie aurait certainement apprécié cette intransigeance sur la propriété des termes, surtout en de telles circonstances!
– Bon, je vais me fourrer là-bas, tout au fond. Tu comptes jusqu'à trente avant d'ouvrir. Et...

Maggie attendit la suite.
– Et... à bientôt!

Il y avait dans la voix de Jasper comme un soupçon d'anxiété.
– A bientôt. Et bonne chance. Bien sincèrement.

Elle compta jusqu'à trente, très lentement. Puis, sans bruit, elle se glissa au-dehors, après avoir pointé le nez pour vérifier que la voie était libre.

Ce n'est que de retour dans le grand

salon, au milieu d'une foule joyeuse et bruyante, dans le brouhaha des conversations et des tintements de verres, qu'elle reprit son souffle normal.

Son souffle était redevenu normal, d'accord. Mais le restant de sa personne était dans un état déplorable. Mains moites, jambes en coton, bref, la déroute complète. Elle était douloureusement partagée entre un violent désir de se traîner jusqu'à sa couchette et d'y fourrer sa tête sous les couvertures, et le désir toujours intact d'aller voir ce film gratuit. Pour finir, ce fut le film qui l'emporta. D'abord, ce serait peut-être le meilleur moyen d'oublier ce détail pénible : à partir de maintenant, elle était devenue « complice ».

De ce côté, elle fut déçue. Cette pensée funeste s'était ancrée obstinément dans un coin de son esprit. Malgré tout, c'était assez exaltant d'être ainsi assise sans parents dans une vraie salle de cinéma; et elle prit presque plaisir à regarder ce film dont elle ne comprenait pas une miette. Les sous-titres n'étaient que d'un mince secours, mais le film, apparemment, était censé faire rire.

A la sortie du cinéma, elle constata que

l'on dansait ferme dans la salle de bal toute proche, et qu'une longue queue s'était formée devant le buffet le plus phénoménal qu'elle eût jamais entraperçu. C'était vraiment gargantuesque; la table blanche débordant de victuailles, quelques heures plus tôt, dans la véranda, n'offrait vraiment, par comparaison, que de modestes amuse-gueule.

L'espace d'une seconde, elle songea à rafler un petit quelque chose pour Jasper. A coup sûr, se dit-elle, c'est ce que ne manquerait pas de faire une complice aguerrie. (Et c'était d'autant plus facile que d'autres, sans vergogne, ne se gênaient pas pour emporter au vu de tous quelques petites provisions.) Mais elle décida bientôt qu'elle avait beaucoup trop sommeil; la journée avait été bien assez riche en expériences éducatives pour satisfaire à la fois Mlle Hinkley et Tante Yvonne.

Maggie, voyageuse au long cours, regagna donc sa cabine. Mme Stone était déjà dans sa couchette; le rideau était tiré mais il y avait de la lumière derrière.

– Ne te crois pas obligée de marcher sur la pointe des pieds. Je ne dors pas, je suis en train de lire.

Maggie se demanda ce que penserait Mme Stone du souvenir très spécial qu'elle venait juste de se faire, là-bas, dans le solarium. Mme Stone avait-elle en stock un souvenir égalant celui-ci? L'ennui, c'est qu'il s'agissait là d'un souvenir top secret et qu'il était hors de question de le partager avec quiconque.

Elle réussit à retrouver sa chemise de nuit et sa trousse de toilette (cette dernière était l'une de ses acquisitions préférées : toute pleine de pochettes et de recoins pour y cacher des tas d'objets qu'elle ne possédait pas encore mais qu'elle comptait bien posséder un jour – crèmes de beauté et lotions qui lui feraient le teint resplendissant). Elle se faufila dans la minuscule salle de bains pour se déshabiller et se laver les dents. Rideau ou pas, l'idée de se déshabiller en présence de cette étrange vieille dame lui donnait la chair de poule.

Lorsqu'elle ressortit de la salle de bains, Mme Stone avait éteint. Seule une petite veilleuse luisait encore au plafond.

Elle escalada la petite échelle menant à sa propre couchette. Là, elle trouva l'interrupteur commandant son éclairage personnel, ainsi que deux autres petits boutons côte à côte. Sur l'un était dessinée la silhouette d'un serveur portant un plateau, sur l'autre une femme de chambre munie d'un balai et d'une serpillière. Ces boutons, manifestement, devaient faire apparaître serveur et femme de chambre; mais Maggie ne se voyait pas les utiliser de sitôt, non, sûrement pas! Et pour demander quoi, Seigneur?... En furetant alentour, elle dénicha aussi, contre la cloison, un petit plateau escamotable. Pour le petit déjeuner au lit de Madame, sans doute?

Que tout était donc douillet... et bizarre! Bizarre plus encore que douillet. Et puis, que faisait-elle ici, au fond? Ce bateau n'avait même pas l'air réel, mais Tilton, Iowa, ne semblait désormais pas davantage réel, alors? Tilton s'éloignait étrangement, dans le temps comme dans l'espace. Le temps était étranger, lui aussi. Plus rien à voir avec le temps américain : chaque nuit, durant cinq jours, l'horloge prendrait une heure d'avance au fil de ce voyage vers l'est.

Pendant qu'elle y était, justement, Maggie avança sa montre d'une heure.

Puis, après avoir tripoté quelques interrupteurs, faisant jaillir par-ci par-là diverses lumières inédites, elle parvint à éteindre sa lampe de couchette.

Dans l'obscurité ainsi obtenue, les bruits prenaient un singulier relief. Toutes sortes de bruits effroyables se mariaient en un odieux concert : craquements, coups de boutoir, grincements, bruits de déchirure (les plus suspects de tous)... Si Mme Stone n'avait précisé par avance qu'elle ne tenait pas à lui tenir lieu de mère, et si Maggie, de toute façon, n'avait pas été si sottement timide, à coup sûr elle aurait appelé sa compagne de cabine pour la prévenir que le bateau partait en morceaux. Un jour, c'était prévisible, cette timidité excessive lui coûterait la vie...

Ses dernières pensées, pourtant, la ramenèrent à Jasper. Pour quelles raisons, au fait, voyageait-il clandestinement, celui-là? Quelque chose disait à Maggie que ce n'était pas purement et simplement par goût de l'aventure. Mais alors? Fuyait-il quelque chose? Et quoi?

Chapitre 4

Entre autres passagers insolites, un petit papillon jaune et noir faisait croisière à bord du paquebot. C'était un peu déroutant de voir ainsi voleter un papillon en pleine mer, au grand large. Pour le moment, il survolait la piscine. Il effectuait des cercles, des piqués, des virevoltes, se dirigeait en voletant vers le rebord d'un parasol où il se posait un instant, palpitant, pour repartir presque aussitôt, pris de panique ou d'extase. Maggie se tourmentait un peu pour lui : n'était-ce pas un peu frêle, un peu léger, un papillon, pour un pareil voyage?

De Jasper, pas le moindre signe. Maggie et le papillon étaient apparemment les seuls passagers en activité, et ce lever matinal était sans doute une grave erreur de savoir-vivre. Des matelots en tee-shirt blanc et pantalon bleu nettoyaient encore le pont au jet d'eau; l'un d'eux repeignait un pan du bastingage, un autre faisait briller des cuivres. De jeunes stewards en veste blanche dépliaient des chaises longues et les plaçaient en rang d'oignons. Au niveau de la piscine Capri (un rectangle bleu, le soleil du matin, et là-dessus un immense ciel plein d'air vif), le monde était et resterait nickel.

Maggie respirait à pleins poumons. Cet air roboratif ne pouvait que lui faire du bien et lui donner des forces; elle allait en avoir bien besoin, avec tous les problèmes qu'elle voyait s'amonceler à l'horizon.

Car Maggie, voyageuse au long cours, était maintenant plus que jamais complice. La pièce à conviction, dans son sac, pesait plus d'une tonne – tout comme d'ailleurs son cœur, sa conscience, et tout le reste de sa personne. Son sac contenait en effet, en contrebande, un petit pain, une brioche, une énorme orange (comme on n'en voyait jamais à Tilton, Iowa) et deux tranches de bacon bien bien grillé.

Ces deux tranches de bacon lui avaient d'ailleurs donné beaucoup plus de mal que tout le reste. Ce matin, par bonheur, elle s'était trouvée seule à table. Pour le petit pain, la brioche et l'orange, ça avait été pratiquement un jeu d'enfant de les faire glisser dans son sac, mais pour le bacon, par malheur, Ricardo avait bien failli la prendre en flagrant délit. Il faut dire qu'il avait eu la malencontreuse idée de revenir chercher du sucre pour une autre table, juste au moment où, subrepticement, Maggie remettait son sac en place. Il n'avait pas vu la manœuvre, mais l'assiette vide de Maggie, par contre, avait attiré son attention.

« Pas bon pour estomac, manger trop vite, avait-il dit à Maggie. Estomac préfère lentement, doucement. »

Et maintenant, en attendant Jasper, elle ne savait plus trop que faire. Si du moins il apparaissait. Car rien ne prouvait qu'il n'avait pas déjà été pris et jeté aux fers. A sa grande confusion, cette perspective faisait naître en elle une minuscule pointe d'espoir, à l'arrière-goût de lâcheté et de trahison.

Mais Jasper n'avait pas été jeté à fond de cale. Maggie venait de s'accouder au bastingage pour regarder l'océan – qui se comportait comme tout océan qui se respecte, se soulevant et se creusant avec la dignité placide convenant à son grand âge – lorsque Jasper, nonchalamment, vint s'accouder au bastingage à côté d'elle.

– Salut, dit-il.

– Salut, répondit-elle.

Un bref instant, on eût pu croire que la conversation allait s'en tenir là. Dans la lumière crue du grand jour, l'idée d'être complice avait de quoi vous nouer la langue. Celle d'être passager clandestin aussi, semblait-il. Par contre, dans cet éclairage, Jasper ressemblait plus à un honnête passager clandestin qu'à un sinistre et mystérieux fugitif. Mais allez donc savoir!

Maggie lui montra du doigt le papillon qui continuait de batifoler autour de la piscine. Jasper le regarda d'un œil morne.

– *Papilio glaucus*, porte-queue tigré, dit-il simplement.

– Ah, tu es un lep-do-chépasquoi?

– Non, je ne suis pas un lépidoptérophile. Mais qui ne connaît pas le porte-queue tigré?

Une fraction de seconde, elle envisagea de jeter par-dessus bord orange, brioche, petit pain et tranches de bacon. Elle avait horreur des petits snobinards qui savent tout.

– Moi, par exemple, répliqua-t-elle sur un ton qu'elle voulait tranchant.

A ce moment-là, apparurent au détour du pont deux officiers en train d'effectuer leur petite promenade matinale. Apercevant le papillon, ils firent brusquement halte à quelques pas de Maggie et Jasper. Le cœur de Maggie marqua un temps d'arrêt lui aussi. Leur mine s'épanouit d'un large sourire et, du geste, ils invitèrent Jasper et Maggie à profiter du spectacle réjouissant de ce papillon à bord. Jasper et Maggie, dociles, firent étalage de sourires forcés et d'un luxe de hochements de tête. Alors le porte-queue, comme s'il venait de comprendre qu'il avait la vedette, se lança dans une série d'acrobaties étourdissantes, s'élançant au-dessus de la mer pour revenir presque aussitôt, toujours voletant, après un virage gracieux et deux ou trois hésitations de coquetterie. Les deux officiers le suivaient des yeux, captivés. Captivée, Maggie ne l'était pas. Un petit papillon allait-il causer leur perte? De toutes ses forces, silencieusement, elle conseilla au petit papillon d'aller se faire cuire un œuf.

Mais les deux officiers, à son soulagement, en eurent enfin assez de contempler le lépidoptère, et ils s'ébranlèrent de nouveau, comme un seul homme. Mais soudain, l'un d'eux s'arrêta net. Il regarda Maggie et Jasper, comme pris d'une inspiration subite. Et il marcha droit sur eux.

Maggie, voyageuse au long cours, en eut les jambes en capilotade.

Elle n'osait pas regarder Jasper.

L'officier arborait un large sourire. Peut-être qu'on venait de proclamer l'amnistie pour les passagers clandestins?

– Ah! *signorina!*

Non, ce n'était pas au passager clandestin que l'officier avait affaire, c'était à sa complice.

– La *signorina* est bien la *signorina* qui voyage seule, *si?*

– Oui, toute seule. *Absolument* toute seule.

Pas très malin, d'insister là-dessus; mais cet « absolument » lui avait échappé.

– Et tout va bien, pour la *signorina?* Tout le monde gentil?

Déjà les sarcasmes; il savait tout, et s'amusait à la torturer.

– Oui, monsieur, répondit-elle en se raidissant d'avance pour la question suivante.

– Parfait. Tout le monde veille sur toi – capitaine, second, lieutenant, chef mécanicien... (il énumérait tout ce monde sur ses doigts)... jusque garçon de cabine. Règlement. Alors, toi, sage et gentille, hein? *Si?*

Il agitait l'index en parlant, comme une mère-grand faisant la morale à ses petits-enfants.

Elle acquiesça du menton comme une petite fille de six ans.

Puis les deux officiers reprirent leur balade matinale. Jasper souffla à Maggie, du coin de la bouche :

– Viens. D'pêche-toi.

Sans perdre une seconde (tout en s'efforçant de garder l'air le plus naturel du monde, ce qui n'était pas si facile), Jasper entraîna Maggie, précipitamment, jusqu'au pont supérieur et, de là, gravissant encore quelques marches, ils allèrent se percher dans une sorte de petit cagibi qui pouvait servir de poste de guet.

Arrivé là, Jasper laissa libre cours à sa fureur rentrée.

– Ah ben, bravo! Alors là, bravo! Exactement ce qu'il me fallait. Tout le bateau a le regard braqué sur nous, maintenant, c'est vraiment l'idéal. Bien ma chance, tiens! Aller m'empêtrer d'une mineure non accompagnée... ça alors!

– Dis donc, tu sais très bien que je n'y suis pour rien, non mais tout de même! répliqua Maggie, outrée. Si t'es empêtré, t'as qu'à te dépêtrer, mon vieux, et tout de suite! Moi je ne demande pas mieux!

Des larmes avaient perlé à ses yeux. Elle s'apprêtait à sortir.

– Tu parles! Trop tard, maintenant: ils nous ont vus ensemble, oui ou non? (Il se laissa tomber sur le banc qui courait le long des parois de la petite cahute, et poussa un soupir accablé.) Alors, as-tu trouvé le moyen de m'apporter un petit quelque chose à croûter?

Ah! c'était bien comme sa mère le disait toujours, allons! « La fin du monde pourrait bien s'annoncer, la dernière chose qu'on est sûr d'entendre, ce sera:

“ Hé, maman, qu'est-ce qu'on mange? ” »

S'étant assurée, d'un regard circulaire, que nul ne pouvait la voir (en fait, pour les voir, il aurait fallu croiser au large, ou à la rigueur être perché dans le nid-de-pie, juste au-dessus), Maggie sortit de son sac l'orange (à peine contusionnée), le petit pain (en miettes), la brioche (écrabouillée) et le bacon (plutôt mal en point).

– Hé! comment t'es-tu débrouillée pour mettre ce bacon dans c't état? s'informa Jasper, la bouche pleine.

– Dis, tu le voulais bien grillé, et bien grillé, il l'était. Seulement, bien grillé, ça veut dire croustillant, aussi. Il a croustillé tout seul. Voilà. Et puis d'ailleurs, si tu veux savoir, je ne te trouve pas tellement bien élevé!

Jasper se tourna vers Maggie et, pour la première fois au grand jour, il la regarda bien en face. Il avait les yeux d'un bleu intense, de ce bleu qu'on met dans la lessive pour la faire paraître plus blanche.

– Je l'ai été, pourtant, dit-il.

Et cet emploi du passé composé, évocateur de temps révolus, laissait supposer une sombre histoire par-dessous.

Ha! ha! enfin un indice?

La dernière personnalité dans laquelle Maggie avait essayé de se glisser (avant que les événements ne fassent d'elle, contre son gré, Maggie voyageuse au long cours) avait été celle d'une journaliste, du genre « grand reporter ». Dans ce métier, on est nécessairement curieux, et l'on se doit de fourrer son nez partout, de lire entre les lignes, bref de fouiner pour la bonne cause, de découvrir le fond des choses. Seulement, comment fait-on pour conduire une enquête?

– Intéressant, hasarda-t-elle, dans l'espoir de suivre le filon.

– Qu'est-ce qui est intéressant?

– De savoir que tu as été poli un jour, mais que tu y as renoncé. Et peut-on savoir si c'est pour une raison précise, je ne sais pas, moi, religieuse, philosophique, révolutionnaire? Ou une grande raison du même genre?

Jasper ne fut pas loin de sourire.

Mais à cet instant, leur attention à tous deux fut soudain détournée par l'apparition d'une jeune fille sur le pont, juste au-dessous d'eux. Elle portait un blue-jean et un foulard rouge noué sur ses cheveux , et elle allait pieds nus. Rien de remarquable dans tout cela (c'était à peu de chose près la même tenue que Maggie, y compris le foulard sur la tête, censé empêcher ses cheveux de frisotter), sauf peut-être les pieds nus. (Etait-il permis de circuler pieds nus sur un bateau aussi impeccable?) Malgré tout, ce qu'il y avait de remarquable en elle, c'était plutôt le style de son entrée en scène : elle progressait à reculons, et tirait de toutes ses forces sur quelque chose. Elle semblait aussi encourager de la voix, par des roucoulades désespérées, quelqu'un ou quelque chose...

Pour finir, elle eut gain de cause : un énorme chien, les quatre pattes plantées dans le plancher du pont, fit malgré lui son apparition.

– C'est le chenil, par là, expliqua Jasper.

Fille et chien s'écroulèrent alors sur le pont, et la fille, très tendrement, enroula ses bras autour du garrot de la bête. L'autre balança sa grosse tête vers la sienne et, sans hésiter, comme si c'était la dernière chose qu'il devait faire sur cette terre, il lui donna un vigoureux coup de langue.

– Un spitz-loup qui a le mal de mer, commenta Jasper.
– Sûr, dit Maggie.

Elle ne voyait aucune raison de faire savoir à Jasper qu'elle n'avait jamais de sa vie entendu parler de « spitz-loup » et qu'elle se demandait pour l'heure si cette grosse créature gris et noir appartenait au genre chien ou au genre loup.

Fille et chien se roulaient sur le pont, dans un accès de désespoir partagé.

C'est alors que surgit, au détour du pont, un charmant jeune premier, la démarche bondissante et la joie de vivre chevillée au corps.

Le suivait de près une charmante jeune fille, manifestement animée d'ambitions romantiques. (On ne saurait confondre avec quoi que ce soit d'autre les ambitions romantiques nées à bord d'un paquebot.)
– Une amourette de croisière, pouah! souffla Jasper.
– Moi j'aime bien les amourettes de croisière, le contredit Maggie, comme si elle avait eu l'occasion, déjà, d'en observer des douzaines.

Le jeune homme s'arrêta pour gratifier le spitz-loup de chaleureuses caresses et échanger quelques mots avec sa maîtresse. La seconde jeune fille s'arrêta à son tour et tapota vaguement le chien, sans grande conviction, semblait-il; quant à la maîtresse, elle était transparente à ses yeux.

– Un triangle, émit Jasper d'une voix morne.

– Moi, je trouve ça fascinant, les triangles, murmura Maggie enthousiasmée. Je serais plutôt pour la fille au chien. J'espère que c'est elle qui l'emportera.

Jasper la regarda, l'air profondément écœuré.

– C'est complètement idiot, de dire ça. D'abord, comment sais-tu qu'il lui plaît?

Mise au pied du mur, mais ne s'avouant pas vaincue, Maggie ne sut que rétorquer :

– Là n'est pas la question, imbécile.

Mais regarder des amourettes de croisière suivre leur cours n'était pas suffisamment constructif au gré de Jasper; plus important encore était de conspirer.

– Bon, ce n'est pas tout ça, coupa-t-il. Quels sont les événements prévus pour la journée, que je puisse m'organiser?

Fière de son sens pratique, Maggie saisit son sac pour en sortir triomphalement le programme du bord. Il fallait un sac de la taille du sien pour loger, sans avoir à la plier, la feuille imprimée sur papier glacé, en couleurs (tout juste un peu imprégnée de gras), énumérant les festivités du jour. En plus de la possibilité quasi permanente de boire et de manger plus qu'à satiété, il était prévu, entre autres activités, une série d'exercices de sécurité; les inscriptions étaient ouvertes pour toutes sortes de tournois et compétitions, du ping-pong au bridge en passant par le jeu de galets; il y aurait aussi, bien sûr, cinéma, concerts et bals. Le programme détaillait par le menu tout ce qui s'offrait aux passagers, à toute heure du jour et de la nuit.

– « Exercices de sécurité »! lut Jasper à voix haute, par-dessus l'épaule de Maggie. « En application des règlements édictés par la Convention internationale pour la sécurité en mer... »

– Les femmes et les enfants d'abord, j'imagine? ironisa Maggie, avec un petit rire jaune.

– « ... les passagers sont priés de bien vouloir, au signal, enfiler leur gilet de sauvetage et se rendre au point de rassemblement. De là, ils seront dirigés sur le lieu d'embarquement à bord des bateaux de sauvetage... » (Il s'était arrêté de lire.) Hé! mais c'est qu'il va me falloir un gilet de sauvetage!

Maggie se sentit défaillir. Voilà qui n'entrerait pas dans son grand sac.

– C'est pas un problème..., enchaîna-t-il, imperturbable. Tu n'as qu'à repérer une cabine où toutes les couchettes ne sont pas occupées, et... et... et trouver le moyen d'aller y décrocher le gilet de sauvetage en trop, acheva-t-il, l'air plutôt gêné.

– J'ai une meilleure idée.

– Laquelle?

– Si tu allais te le décrocher toi-même? Hein, pourquoi pas?

L'argument arrêta Jasper, mais un bref instant seulement.

– Pourquoi pas? Parce que je risque beaucoup plus gros que toi, maline. C'est moi qui suis dans le pétrin, ce n'est pas toi.

« A l'entendre, se dit Maggie, on pourrait croire que s'il s'est mis dans ce pétrin, c'est ma faute; on jurerait que c'est moi qui lui ai soufflé de voyager clandestinement, que nous avons mijoté ça tous les deux, et que nous nous connaissons depuis toujours! » Elle médita là-dessus un instant, puis décida qu'il était temps de prendre ses distances avec cet importun. Après tout, elle, elle devait d'abord songer à Tante Yvonne, non? Et Tante Yvonne n'avait sûrement pas dépensé tous ces sous pour permettre à sa nièce de tourner mal, n'est-ce pas?

– Tu vas me dire que ce ne sont pas mes oignons, mais j'aimerais bien savoir, une fois pour toutes, pourquoi tu t'y trouves au juste, hein, dans ce pétrin?

Dans les romans, Maggie l'avait remarqué, ce genre de question provoquait toujours, chez les héros à secrets tragiques, l'apparition d'une sorte de masque derrière lequel ils cadenassaient leurs sentiments. Le phénomène venait de se produire chez Jasper, à l'instant même, sous ses yeux, et elle en fut plus que jamais mal à l'aise. Après tout, elle était tout de même dans son droit, non, si elle essayait de savoir, au juste, de quoi elle se rendait complice? Et si Jasper était en fuite après quelque abominable crime?

– Okay, si ça t'est bien égal de me voir

me noyer..., l'entendit-elle marmotter.
– Te noyer? Et pourquoi diable te noierais-tu, j'aimerais bien le savoir?
– Ah! parce que tu crois que ces exercices de sécurité, c'est pour amuser les passagers? Comme le cinoche ou le bingo? lui demanda-t-il, sévère.

C'était le coup de grâce.

« Se noyer »? « Gilets de sauvetage »?

Maggie, voyageuse au long cours, s'apprêtait à fondre en larmes.

Elle mit ses poings dans ses yeux, et sa bouche se tordit en croissant de lune à l'envers.
– Braille pas!

Ce n'était pas un ordre, mais plutôt une prière, venue du plus profond de l'être.

Maggie rouvrit les yeux. Jasper avait enfoncé son chapeau colonial sur sa tête. On ne lui voyait plus que le nez et le menton.

Elle ravala sa salive.
– C'est fini, je n'ai plus envie. Tu peux ressortir de là-dessous, va!

D'un coup de pouce, il fit réapparaître ses yeux, et observa Maggie. Après quoi, satisfait de constater que la menace de crise de larmes était passée, il ramena son couvre-chef à sa position normale.

– Pfffou. Bon. Ne parlons plus de gilet de sauvetage. Au fait, j'aimerais bien savoir ce que tu as, toi, pour être aussi impressionnable?

Maggie eut un geste d'impuissance.

– Ce voyage en mer me flanque la pétoche, comme dirait ma tante Harriet.

– *Reise Angst.* Très banal.

– *Angst*? Qu'est-ce que c'est que ça? De quoi parles-tu encore?

– *Angst.* Anxiété, si tu préfères. C'est de l'allemand. Angoisse du voyage. Mal des transports. Des tas de gens souffrent de ce truc-là. Mais la plupart du temps, ils ne se rendent même pas compte que c'est ça qui les met mal à l'aise. Ils s'imaginent plutôt avoir avalé quelque chose qui est mal passé.

– Tu vas me dire que je me mêle de ce qui ne me regarde pas, mais... tu ne crois pas que tu sais tout de même beaucoup de choses, pour un type de ton âge?

Au grand étonnement de Maggie – et à sa grande horreur aussi –, cette remarque innocente et même plutôt flatteuse parut mettre le feu aux poudres. Cette fois, Jasper fulminait. C'était comme si Maggie, étourdiment, avait approché une allumette d'un bidon d'essence.

– Oui, précisément, aboya-t-il soudain sans crier gare, je trouve que tu te mêles de ce qui ne te regarde pas. Ce ne sont pas tes oignons, mais là, pas du tout!

Et sur ce, agilement, il descendit les marches.

Bigre!

Un instant suffoquée, Maggie reprenant ses esprits en arriva à la conclusion, pas précisément rassurante, que ce que fuyait Jasper, c'était l'asile, l'asile pour caractériels dont il venait de s'échapper à coup sûr. Oui, un asile pour cerveaux dérangés.

Elle le suivit des yeux tandis qu'il s'éloignait, sur le pont, du côté opposé au chenil.

Les paquebots faisant route à travers l'Atlantique présentent fatalement un côté exposé au vent, tandis que l'autre en est abrité. Le *Toscana,* croisant vers le sud-est en direction des Açores, recevait pour l'instant sur bâbord un bon petit vent du nord, suffisamment nerveux pour faire peiner Jasper qui progressait contre lui. L'image qu'il donnait ainsi, dansant comme un pantin de papier pour conserver son équilibre, évoquait celle d'un être trop jeune pour se voir cataloguer parmi les déments confirmés.

Ou peut-être que les fous échappés de l'asile devenaient de plus en plus jeunes, comme les fumeurs, les délinquants et le reste?

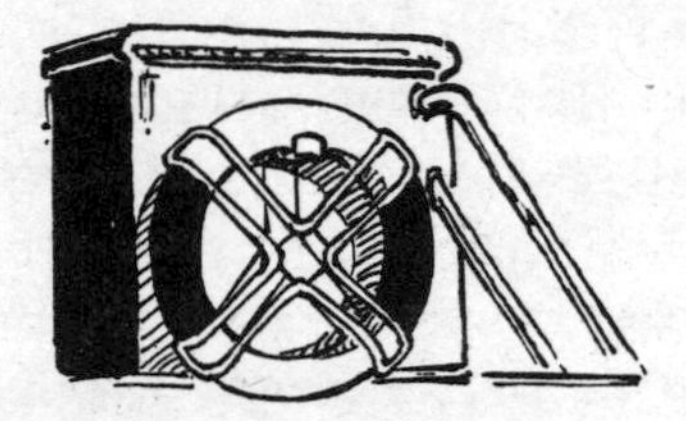

Chapitre 5

Durant la majeure partie de la journée, l'océan se comporta comme un honnête océan, ainsi d'ailleurs que le bateau et, au moins pour l'observateur moyen, son équipage et ses passagers. Les amateurs d'action permanente, ceux qui tenaient à ne rien manquer, donnèrent libre cours à leur frénésie d'activité, et ceux qui préféraient au contraire goûter aux délices du *farniente* s'y abandonnèrent béatement sans pour autant se sentir coupables.

Maggie, timide et solitaire, poursuivit son errance à travers le bateau (en évitant soigneusement Jasper), et tenta d'adopter l'une après l'autre chacune des deux attitudes.

Elle commença par s'affaler dans une

chaise longue, en s'efforçant de son mieux de ne pas se sentir coupable de paresse, mais la voix de M. Crown, son professeur d'éducation physique, vint brutalement troubler cette douce fainéantise : « Maggie va nous montrer à présent comment elle faisait, sur le bateau, pour garder la forme. Un, deux, trois, hop! Un, deux, trois, hop! » Et comme une autre voix, bien réelle celle-là, vint aigrement lui susurrer : « Vous avez pris *ma* chaise », elle s'extirpa de là, en vitesse, les joues en feu. Les ongles les plus aigus et les plus incarnats qu'elle eût jamais vus lui indiquaient impérieusement une étiquette sur le haut du transat : BLODGETT. C'était le nom de la dame, grand bien lui fasse! (D'avoir un nom pareil, s'entend.)

Moyennant quoi, décidant de passer à l'action, Maggie se retrouva bientôt sur un autre pont, dans son deux-pièces tout neuf (et plus maigrichonne que jamais), entourée de corps adultes de toutes les tailles et de toutes les formes, en train de faire des abdominaux, rythmés par l'accent italien. Lorsqu'elle s'était aperçue que le cours de gymnastique n'avait attiré absolument personne d'autre de son âge, elle avait bien tenté de fuir, mais Luigi, l'animateur, avait bruyamment insisté sur le fait qu'il n'était jamais trop tôt, gringalet ou non, pour commencer à « scoulpter son corps magnifiquément ».

Vint enfin le moment de piquer une tête dans la piscine. Ce fut le meilleur moment depuis ce jour où Tante Yvonne avait décidé de faire traverser l'Atlantique à sa nièce. L'eau était délicieuse, et douce, et veloutée, et le crawl de Maggie, même s'il ne lui avait jamais valu de médaille, était bien assez présentable pour qu'elle n'eût aucune honte à l'exhiber devant les amateurs de chaise longue qui regardaient en clignant des yeux les nageurs s'ébattre dans l'eau.

Les vingt-quatre heures fatidiques n'étaient pas tout à fait écoulées; pourtant Maggie, enfreignant la règle, jugea le moment idéal pour faire connaissance avec quelques-uns de ses semblables. Elle entra en conversation avec un frère et une sœur, Kenneth et Bettina. Ils habitaient Rome depuis quelque temps parce que leur père y avait été muté. Comment c'était, Rome? Oh! pas mal. A leur avis, voyager comme mineur non accompagné devait être la formule idéale. Pensez donc! Pouvoir agir à sa guise, du matin au soir et du soir au matin! Oui, mais, au fait! Comment allait-elle faire, pour les pourboires? Comment saurait-elle combien donner? Les adultes eux-mêmes avaient tant de mal à en décider! C'est vrai, ça : ils en discutaient tout le temps, même ceux qui voyageaient souvent. Maggie leur assura que, sur ce point, elle était parée : elle avait déjà ses enveloppes toutes prêtes. Ho! ho! on voyait bien qu'elle n'y connaissait pas grand-chose : ainsi donc, elle donnerait la même somme au serveur, que le service soit lent ou pas? « Et alors? Qu'est-ce que ça peut faire? » leur rétorqua Maggie. Ce qu'elle ne leur dit pas, c'est qu'elle avait d'autres soucis, et d'autres chats à fouetter.

Par bonheur, la conversation changea de cours avec l'arrivée de Laura, qui allait en classe en Suisse, et d'un certain Pietro, Italien bon teint, qui ne parlait pas l'anglais. Bettina et Kenneth parlaient un peu l'italien, à les en croire, mais Pietro pour sa part trouvait qu'à les entendre il y avait de quoi mourir de rire.

4

– C'est qu'il est vénitien, expliqua Bettina. A Venise, ils mettent un point d'honneur à ne pas se comprendre entre eux. Il suffit de traverser un canal pour trouver un dialecte différent.

Elle entreprit de traduire cette affirmation pour Pietro, qui répondit d'un fier sourire de Vénitien.

– Les Vénitiens, commenta Bettina en anglais, sont fiers de tout ce qui est typiquement vénitien, que ce soit bon ou mauvais.

La conversation se poursuivit un moment sur ce mode affable, chacun s'accordant à dire que la vie à bord était formidable, que le film de la veille était un navet, que la nourriture était délectable, et délicieuse aussi l'eau de la piscine, lorsque tout à coup, sans crier gare, la conversation prit un cours redoutable.

– Au fait, qui est ce garçon? demanda Bettina.

Ils étaient tous alignés sur le rebord de la piscine, leurs pieds trempant dans l'eau. Maggie regarda tout autour d'elle, cherchant des yeux *ce* garçon.

– Où ça?

– Non, pas ici. Celui qui était avec toi ce matin. On t'a vue. Celui qui a ce drôle de machin sur la tête.

Vue *où*? Vue *quand*? Vue *quoi faire*? Lui refiler en douce un petit déjeuner piraté?

– Je... Je ne sais pas trop. C'est un garçon.

– Garçon! s'écria Pietro en désignant sa pomme d'Adam. Moi, garçon.

– Oui, très bien! s'écria Maggie avec un peu trop d'ardeur, et en souriant comme si elle posait pour une marque de dentifrice. Pietro commence à parler anglais. Formidable, non?

– Brillant, dit Bettina. Mais comment s'appelle-t-il?

Maggie décida que Bettina avait des yeux vraiment très petits; les plus petits qu'elle eût jamais vus. Chacun sait que de petits yeux sont le signe d'une âme capable de vilenie.

– Alors? Comment s'appelle-t-il?

Maggie marmonna quelque chose.

– Quoi? Asper? Qu'est-ce que c'est que ce prénom idiot? voulut savoir Kenneth.

– Caspar? Comme dans Caspar Milquetoast*?

Bettina ouvrait des yeux tout ronds, et

* Caspar Milquetoast : héros comique américain.

Maggie avait le regret de constater qu'ils n'étaient même pas si petits que ça.

Laura jugea que le nom de Caspar Milquetoast était à se tordre de rire.

Quant à Maggie, elle se sentait gagnée par un terrible mal de mer; elle venait de ruiner sa vie, et celle de Jasper par la même occasion.

Maggie, voyageuse au long cours, a la comprenette un peu lente.

– Et pourquoi porte-t-il tout le temps ce machin sur la tête? s'informa Kenneth. Il est chauve ou quoi?

Cette éventualité, à laquelle Maggie n'avait pas songé, la fit étrangement frissonner.

– Comment veux-tu que je le sache?

Bettina, de nouveau, avait les yeux tout petits.

– Moi, je vais vous dire, déclara-t-elle. J'ai l'impression que tout ça n'est pas très catholique.

Laura se tordit de rire une fois de plus : trouver les choses pas très catholiques, quand on est habitué à Rome, c'est normal, non? Et Maggie estima le moment venu de retourner à l'eau. Elle plongea et resta sous l'eau le plus longtemps possible.

N'empêche : Jasper était à présent dans de beaux draps. Les fouines et les belettes n'ont-elles pas de tout petits yeux, elles aussi ?

Vers quatre heures, le soleil disparut, et l'océan s'assombrit, tournant au vert foncé noirâtre. Le vent força soudain, la mer se couvrit de clapotis, et le bateau se mit à rouler et à tanguer sensiblement. Rien de bien sérieux encore, mais c'était déjà suffisant pour retirer leur sourire à la plupart des passagers. Certains perdirent quelque peu leurs couleurs et se détournèrent des chariots qui apportaient le thé.

Maggie n'avait plus même entraperçu Jasper, et n'en était nullement fâchée. Il eût peut-être été plus honnête, pourtant, de le prévenir au moins qu'une belette l'avait à l'œil, et qu'un chapeau colonial n'est pas le camouflage idéal ?

Mais la vérité est que Maggie, pour l'essentiel, avait oublié de se tourmenter à propos de Jasper durant ces toutes dernières heures. Elle avait été trop occupée.

Pour commencer, il y avait eu ce buffet campagnard, à la véranda, juste en face de la piscine. Faire son choix n'avait rien de simple, face à ces alignements pantagruéliques, sur des mètres et des mètres, de hors-d'œuvre variés, de divers plats de poisson, de quantités de gâteaux et de petits fours inédits; il y avait là de quoi passer un temps fou, et vous distraire de tout autre souci. (Elle avait bien songé, un instant, à glisser dans son sac un petit quelque chose pour Jasper, pour le cas où elle le reverrait, mais le regard fureteur de Bettina rendait la manœuvre trop risquée.)

Il n'y avait d'ailleurs pas que les yeux de Bettina; il y avait ceux de ses parents, et ceux de la mère de Laura, aussi. (Les parents de Pietro prenaient un vrai repas assis, quelque part dans la salle à manger.) Les parents de Kenneth et Bettina avaient assuré que ce serait merveilleux que de faire voyager leurs enfants comme mineurs non accompagnés, mais la mère de Laura avait clairement laissé entendre que l'idée d'un enfant voyageant seul ne lui inspirait pas confiance... (Les parents de Laura étaient divorcés, et comme Laura allait en classe à Lausanne, Suisse, sa mère était allée s'installer à Genève, Suisse également.)

Après le lunch, il y avait eu le ping-pong, et cnsuite le jeu de galets (sans M. Dumont, par bonheur.) Entre les deux, Maggie et ses nouveaux camarades s'étaient amusés à suivre des yeux l'évolution de l'amourette de croisière entamée le matin même – encore qu'il n'y eût pas grand-chose à voir, les différents acteurs ne faisant rien d'autre que de bavarder. Et ils étaient entrés en conversation avec la fille au spitz-loup. Le spitz-loup était bien un spitz-loup, et il s'appelait Flaherty, en l'honneur du metteur en scène du film *Nanook du Nord.* Quant à sa maîtresse, c'était Alice, et elle était en route pour Rome, ayant décroché une bourse pour y étudier la sculpture. Elle n'était pas réellement une mineure non accompagnée, puisqu'elle avait dix-neuf ans sonnés, mais non accompagnée, elle l'était, et plutôt deux fois qu'une, ayant quitté le domicile paternel à dix-sept ans. Depuis, elle avait toujours vécu seule. A ces mots, Bettina, qui était décidément une belette comme jamais Maggie n'en avait vu, voulut savoir pourquoi Alice avait quitté le domicile familial. Alice lui répondit tout à trac que ce n'était pas ses oignons, mais que puisqu'elle-même était assez curieuse pour sa part, elle répondrait malgré tout : elle avait quitté la maison parce que ses parents estimaient que devenir sculpteur c'était bon pour les caniches. Ses parents étaient des gens très braves, et travailleurs, qui tenaient une grande quincaillerie à Brooklyn (New York), et ils désiraient voir leur fille devenir secrétaire, parce qu'ils disaient qu'il y avait toujours du travail pour une bonne secrétaire, du moment qu'elle était soignée et qu'elle connaissait l'orthographe, alors que bon sang, combien de gens au monde avaient-ils besoin d'une statue?

A cette question, les gosses n'avaient trop su que répondre, et Alice avait été la première à remarquer que le temps avait changé, ainsi que le mouvement du bateau. Le paquebot se berçait d'un bord sur l'autre, et se livrait à des plongeons réguliers, vers l'avant, vers l'arrière, vers l'avant... plus qu'il n'était nécessaire. Alice fut aussi l'une des premières à perdre ses couleurs. Elle décida que mieux valait pour elle aller faire une petite sieste. Alice et Flaherty n'avaient le pied marin ni l'un ni l'autre. Maggie et ses compagnons décidèrent eux aussi de rentrer pour se changer. Rendez-vous fut pris, pour un peu plus tard, à la salle de danse pour « jeunes adultes ». Là, ils écouteraient de la musique non-stop et regarderaient lesdits jeunes adultes danser, en attendant de se changer pour le dîner. (Maggie prit au passage une nouvelle leçon sur ce vaste monde : les Italiens dînaient beaucoup plus tard que ne soupaient les habitants de l'Iowa.)

En route pour sa cabine, Maggie rencontra Mme Stone. Juste comme tout le monde rentrait, Mme Stone décidait de mettre le nez dehors.

– J'espère que nous allons avoir un petit peu de gros temps. J'adore le gros temps, en mer. Cela vous rappelle que vous êtes en mer, et non dans un simple hôtel. (Elle renifla l'air en connaisseur.) Il se pourrait bien que ce soit Amy.

– Amy ?

– Oui, l'ouragan.

– *Ouragan* ?

Si Mme Stone avait perçu le timbre d'horreur dans la voix de Maggie, elle avait choisi de n'en pas tenir compte.

– Si ces dames de la Libération de la Femme s'y mettent, j'imagine que nous ne devrions pas tarder à avoir des ouragans à prénom masculin. Moi, tout ça m'est bien égal. Ils peuvent bien prénommer un ouragan Miranda si ça leur chante. Je n'aurais rien contre le fait d'être un ouragan s'apprêtant à faire du grabuge.

– Même si vous causiez la mort de personnes? voulut savoir Maggie, sa voix vibrant comme une harpe dans un accord.

– Miranda serait sélective, répondit Mme Stone, le sourire aux lèvres. Mais tu frissonnes, Maggie. Rentre vite te couvrir.

Chemin faisant, tout en trottinant, Maggie aperçut un casque colonial qui se faufilait en catimini hors de la salle de lecture. Tout le temps qu'il avait fait soleil, cette pièce avait dû rester déserte. Où Jasper allait-il trouver à se réfugier, s'il y avait une tempête?

Elle croisa aussi M. Dumont, qui ne manqua pas de lui dire, avec son perpétuel pétillement, qu'elle devrait aller se couvrir parce qu'elle frissonnait fort.

Elle n'avait pas encore regagné sa cabine que déjà six personnes, croisées en chemin, lui avaient fait observer qu'elle frissonnait et qu'elle devrait se couvrir.

Elle rencontra enfin Stella, un peu

dépourvue de couleurs elle aussi, qui ne se contenta pas de lui dire par gestes qu'elle frissonnait et qu'il lui fallait se couvrir, mais qui lui tendit également une enveloppe. En travers de cette enveloppe était imprimé en grosses lettres : MARCONIGRAMMA.

Maggie n'avait jusqu'alors jamais reçu, ni même vu, de télégramme. Elle le déchira avec des doigts tremblants.

Pour commencer, elle crut qu'il y avait erreur; il n'y avait pas de signature. Puis elle vit que le télégramme lui venait de Cortina, où habitait Tante Yvonne. D'ailleurs, à mieux y regarder, il lui était bel et bien adressé.

Le message était le suivant : AI EU PETIT ACCIDENT STOP PAS D'INQUIÉTUDE.

Maggie le lut et le relut, et le relut une troisième fois. Puis elle se mit à gémir.

Maggie, voyageuse au long cours, ne se contente plus de frissonner. Elle frissonne *et* gémit. Et elle ne s'arrêtera sans doute pas de sitôt.

Chapitre 6

De retour de sa petite expédition sur le pont, Mme Stone retrouva une Maggie qui frissonnait toujours, bien qu'elle eût échangé son deux-pièces contre un pull et un blue-jean.

Sans dire un mot, Maggie lui tendit le câble. Mme Stone mit ses lunettes et examina un moment le papier avant de prendre la parole.

– Il faudrait en savoir plus long sur ta tante pour tenter de deviner à quel type de « petit » accident elle fait allusion. Il pourrait s'agir de sa personne, de sa propriété, de son portefeuille... As-tu le plus petit indice?

Maggie ne voyait là rien d'essentiel. Le tout était de savoir si ce petit accident devait ou non empêcher sa tante de venir l'accueillir à Gênes.

– Rien ne fait allusion, ici, à une impossibilité de t'accueillir à Gênes.

– Non, mais de quoi d'autre serais-je supposée m'inquiéter?

– Serait-elle du genre à tenter de se faire faire un *lifting*? Tu sais, ce genre d'opération, en chirurgie esthétique, qui vous fait rajeunir de dix ans?

– Tout ce que je sais, c'est qu'elle voulait devenir chanteuse d'opéra.

– Alors, ce serait tout à fait le genre. Et sais-tu ce qui arrive parfois, après ce genre d'opération?

Maggie ne savait pas, mais la chose l'intéressait, malgré elle.

– Eh bien, tout redégringole. Pouuuf! Plusieurs milliers de dollars dépensés pour rien. C'est comme ça. Et justement, le genre de femme à se faire faire un *lifting* est aussi le genre à prendre la chose très mal. Un vrai désastre. Ta tante Yvonne cherche peut-être à te préparer à l'idée de voir arriver une femme se cachant derrière une voilette. (Sa voix avait pris une note de triomphe.) Qu'en penses-tu? N'est-ce pas une hypothèse charmante et romantique?

Maggie remercia Mme Stone, mais sans se départir de sa morosité.

– Maggie, es-tu toujours aussi pessimiste ?

Maggie secoua la tête.

– Je suis en proie à une terrible crise de *Reise Angst.*

Les yeux de Mme Stone se firent tout ronds.

– Tu es en cours de psychanalyse ?

– Non. Mais peut-être bien que j'aurais mieux fait de voir un psychanalyste avant de m'embarquer dans ce voyage.

– Comment ? Mais tu connais déjà ce genre de terme ? Ce genre de littérature ? Si jeune ?

– Non, je l'ai juste appris ce mat... (Oh ! Elle aurait voulu s'en couper la langue d'un coup de dents.) Je veux dire, j'ai entendu des gens qui en parlaient ; ça veut dire « angoisse du voyage », vous savez.

Mme Stone lui jeta un rapide coup d'œil.

– Oui, je sais ce que ça veut dire. Mais je suis heureuse d'ajouter que je n'en ai jamais souffert, et je te prie de te hâter d'en guérir.

Maggie se dit que c'était beaucoup

demander, de la part de quelqu'un qui sentait venir une tempête, d'autant qu'elle allait peut-être aussi devoir débarquer seule dans un pays étranger.

Comme pour parachever cette atmosphère de drame, un bruit sourd et violent vint les faire sursauter toutes deux.

Une valise s'était échappée de son filet, et divers flacons et fioles roulaient à présent sur le bureau.

Mme Stone éclata de rire.

– J'ai l'impression qu'Amy a décidé de nous amuser un peu. Voilà qui va te distraire de ta tante Yvonne.

Mme Stone se trompait. Ou plutôt elle sous-estimait le nombre de soucis qu'une personne atteinte de *Reise Angst* est capable de mener de front.

Se cramponnant à la table et aux chaises, Mme Stone s'approcha du hublot. Un paquet de mer, à la seconde même, vint s'y écraser sans prévenir, ce qui enchanta Mme Stone.

– Je parie qu'ils vont mettre les cordes, ce soir, dit-elle sur un ton enjoué. Et j'ai dans l'idée qu'à la salle à manger toutes les tables ne seront pas occupées. Le soir idéal pour un soufflé au chocolat : le chef aura tout son temps pour le préparer... (Elle se dirigeait en titubant vers le téléphone.) Tiens, je vais en commander un. Un pour deux personnes, d'accord? Et tu me rejoindras à ma table pour le dessert. Qu'en penses-tu? N'est-ce pas que c'est une bonne idée?

– Très bonne idée, soupira Maggie.

Ce qui serait amusant, tout de même, ce serait de voir comment un soufflé peut tenir par un temps aussi chahuté! Ceux de sa mère avaient l'habitude de s'effondrer sitôt qu'on chuchotait à côté.

– Vous avez parlé de cordes, madame Stone. Je n'ai pas compris.

– De cordes? Ah! oui! (Mme Stone s'efforçait de défroisser, en la secouant, l'une de ses robes de soie noire – une longue robe de soirée, cette fois.) Tu sais, des cordes pour s'accrocher. Ils en mettent un peu partout, afin que les gens ne se rompent pas les os en essayant de circuler.

– Et vous croyez vraiment qu'on met l'habit de soirée au beau milieu d'une tempête? demanda Maggie, les yeux fixés sur la longue robe.

– Allons, allons! A propos d'optimisme,

qui a parlé de tempête pour ce soir? Ce n'est pas encore une tempête. Tout juste un peu de vent.

Le bateau s'inclina de côté et resta un moment incliné. Lorsque enfin il se redressa, Maggie se retrouva à l'autre bout de la cabine!

– Houps! N'est-ce pas que c'est drôle?

Maggie ne répondit pas. « Maggie va maintenant nous dire comment elle s'est retrouvée au fond de l'océan, dans un paquebot, par trois mille mètres de fond... », annonçait la voix caverneuse de quelque médium en train de faire tourner une table.

Elle se traîna jusqu'au placard et fit descendre de deux étagères son gilet de sauvetage, trop haut placé à son gré. Sans la présence gênante de Mme Stone, elle se serait bien exercée à l'enfiler. (L'exercice de sécurité n'avait duré que quelques minutes, et Maggie le jugeait bien insuffisant pour une préparation au naufrage! Elle s'était imaginé qu'à tout le moins on mettrait les canots à la mer pour y embarquer femmes et enfants strictement en priorité. Alors que cet exercice à la noix avait tout bonnement consisté en un stupide rassemblement auprès des canots de sauvetage; on n'y avait rien fait d'autre que d'apprendre très vaguement à se harnacher du fameux gilet, en écoutant plusieurs passagers émettre des plaisanteries douteuses.)

Le gilet de sauvetage lui rappela Jasper. Où était-il dans cette tempête? (Car pour elle, à n'en pas démordre, c'était bel et bien une tempête, et non pas un simple coup de vent.) S'était-il trouvé un gilet de sauvetage, finalement? Elle partait du principe que, puisqu'il l'avait quittée de son plein gré, hargneux et furibond, elle était par là même dégagée de sa responsabilité de complice. Hélas, apparemment, cela ne l'empêchait pas de se tourmenter pour lui. Si Mme Stone pouvait se douter qu'elle se faisait du souci, *en plus*, pour un passager clandestin, que trouverait-elle à répondre? Maggie brûlait du désir de chercher à le savoir.

Mme Stone ne s'était pas encore lassée de contempler le gros temps et comptait bien s'y consacrer entièrement avant l'heure de s'habiller pour le dîner. Elle était revenue dans la cabine se mettre un peu de crème protectrice et enfiler un ciré. Elle aurait dû paraître grotesque, dans ce ciré, mais non, au contraire, il lui allait incroyablement bien.

Non, Maggie n'avait aucune envie d'aller contempler la mer et ses rodomontades. D'ailleurs, elle avait rendez-vous avec ses camarades au dancing des « jeunes adultes ». Là, elle espérait secrètement trouver le réconfort dans la foule.

Mais, dedans comme dehors, le mauvais temps donnait à tout le paquebot un visage sinistre. Hormis quelque garçon de cabine, de loin en loin, dépêchant un plateau chargé d'un verre d'eau ou de glaçons, les couloirs étaient déserts. Dans le grand salon, pour le concert de l'après-midi, l'assistance se réduisait à six personnes.

Dans ces couloirs et ces salles vides, un chapeau colonial n'eût pas manqué de se faire remarquer. Mais d'un autre côté, s'il se trouvait dehors, il était sûr de se faire tremper. Décidément, même si Maggie l'avait voulu, elle n'aurait pas su où chercher Jasper.

Au dancing pour « jeunes adultes », l'orchestre saturait la salle de glorieux décibels et de rythmes bien balancés.

Etait-ce vraiment de la bonne musique? Maggie, prudemment, laissait à d'autres le soin d'en décider. A Tilton, Iowa, n'est-ce pas, on ne s'y connaissait peut-être guère... Bettina lui confia dans l'oreille que cet orchestre ne valait pas chipette; mais elle l'avait crié si fort que Maggie fut certaine que les malheureux Dingues (c'était le nom de l'orchestre) devaient avoir tout entendu. (Le plus dingue, chez ces Dingues, c'était bien leur nom; pour le reste, il n'y avait là que trois musiciens aux cheveux modérément longs, et d'ailleurs plus tellement jeunes.)

Les « jeunes adultes » acharnés à danser trouvaient un plaisir supplémentaire dans le roulis et le tangage, qui faillirent plus d'une fois les envoyer tous par terre comme un château de cartes.

Entre autres « jeunes adultes » présents, il y avait là le beau ténébreux du matin et la demoiselle romantique. Alice, par contre, était invisible. Sous cet éclairage, et vu d'un peu plus près, il ne devenait que plus évident que ce fort beau garçon serait la coqueluche de toute la croisière. Une évidence, d'ailleurs, dont à première vue il était le seul à ne pas avoir conscience. Il était assis non loin d'une baie

vitrée ruisselante de pluie et d'embruns, et s'efforçait de contempler l'océan déchaîné. Maggie brûlait de lui demander ce qu'il pensait de leurs chances de chavirer, et s'il ne se rendait pas à Cortina, par hasard. Bettina le trouvait terrrible, et son regard se fit mélancolique. Laura le décida trop vieux, mais à cela Bettina savait quoi répondre : tout le monde s'accordait à dire qu'elle faisait plus âgée qu'elle n'était. Laura n'avait pas l'air convaincu.

Tout cela, certes, était fort divertissant, mais Maggie éprouvait le besoin d'un peu d'attention personnelle.

– Ma tante vient d'avoir un petit accident, annonça-t-elle, coupant court par avance à la réplique de Laura.

Il y eut un instant de silence (abstraction faite des décibels généreusement distribués par les Dingues), le temps pour chacun de reporter son attention sur Maggie.

– Eh bien! pas la mienne. Et alors?

Ça, c'était le commentaire de Bettina.

– Peut-être, mais tu as une tante à Cortina?

– Non, mais j'en ai une à Yonkers, New York.

Pour le coup, Laura se mit à hurler de rire. Pietro, qui n'avait rien compris, lui fit néanmoins écho, contaminant tous les autres.

L'orchestre venait justement de s'arrêter de jouer, si bien que tous les regards se tournèrent vers ce raz de marée d'hilarité.

Qu'y avait-il de drôle, qu'on rie un peu, aussi?

Nul ne savait trop le dire, si ce n'est que l'une des filles avait une tante à Cortina, et l'autre à Yonkers. Là-dessus, tout le monde se mit à avoir des tantes un peu partout à la surface du globe – à Philadelphie, USA; à Manchester, Angleterre; à Bordeaux, France. Quelqu'un même s'en dénicha une à Helsinki, Finlande.

Chacun se tenait les côtes, à présent, mais Maggie, sachant que les plaisanteries les meilleures sont toujours les plus courtes, entreprit d'expliquer le fin fond du problème : cette tante, qui venait d'avoir le petit accident évoqué, était censée venir la chercher à Gênes, et tout le monde, absolument tout le monde, avait jusqu'ici compté là-dessus : ses parents, à Tilton, le directeur de la compagnie maritime, tout comme le capitaine et les garçons de cabine, le second et le commissaire – tout le monde, y compris elle-même.

– Il faut vous dire, expliqua Laura, qu'elle voyage en « mineure non accompagnée ».

Un murmure salua cette révélation, et quelques cous s'allongèrent pour mieux voir le phénomène. Les Dingues eux-mêmes étaient intéressés. Maggie, malgré sa modestie naturelle, ne trouvait pas détestable d'être ainsi devenue un passager si remarquable. Ce qui ne la réjouit pas, par contre, ce furent certaines réactions à l'exposé de sa situation pourtant lamentable.

– Et alors? Belle affaire. Cortina! A partir de Gênes? La porte à côté. Imagine-toi, ma petite, que moi j'ai fait toute l'Europe en auto-stop, l'an dernier. Ce n'est pas la mer à boire. (L'orateur devait friser les deux mètres, avec une carrure d'armoire à glace.) Fastoche. Suffira qu'à Gênes tu ailles te placer à la sortie par l'autoroute, avec une pancarte indiquant CORTINA. Et voilà. Il te faudra peut-être un mois pour y arriver, mais tu y arriveras, crois-moi.

Maggie devait paraître au bord de la syncope, car un concert de voix crut bon de corriger les dires du matamore :

– Gros malin!

– Ne t'en fais pas, il plaisante, bien sûr!

Une fille, l'air très sérieux, jugea même bon d'ajouter :

– Moi, je comprends très bien Maggie. Un jour, quand j'étais petite, ma mère, qui est très distraite, était repartie du supermarché en emportant les provisions, mais en m'oubliant, moi, sur le parking. C'est terriblement traumatisant, cette sensation d'être seule au monde. Je vous jure que je la comprends.

Durant une minute, l'abandonnée du supermarché eut à son tour la vedette; tout le monde la regardait, ne sachant plus trop que dire.

C'est alors que le beau ténébreux, s'arrachant à sa contemplation, marcha directement vers le groupe.

– Puis-je voir ce télégramme? demanda-t-il.

Maggie sortit le papier de sa poche et on le lui fit passer.

– Premièrement, il n'y a rien ici qui affirme que ta tante ne viendra pas t'accueillir à Gênes. Deuxièmement, il lui reste neuf jours pour se remettre de cet accident mineur. C'est beaucoup, dis-toi bien, Maggie. C'est tout à fait suffisant, même pour quelqu'un d'hypersensible.

Il avait les yeux aussi doux que ceux de Sylvester, et Maggie en fut aussitôt amoureuse.

– Hé! t'es un psy quelque chose, ou quoi? lança le type de deux mètres au garçon aux yeux doux, qu'il dominait d'une tête.

– Non, se contenta de dire l'autre.

Chacun s'attendait à l'entendre préciser ce qu'il était, mais rien ne vint.

La jeune fille romantique se faufila près de lui et lui glissa :

– Merveilleux. J'adore la façon dont tu as réglé ça.

Les Dingues prirent cette conclusion pour un signal leur indiquant de reprendre le collier, et le prince charmant, hochant simplement la tête, alla reprendre sa contemplation de la mer démontée.

Au lieu de simples hublots, le dancing-discothèque s'ouvrait sur la mer par de vastes baies vitrées descendant jusqu'au sol, et Maggie pouvait voir, derrière les draperics de la pluie tombant sans discontinuer, le ciel de plus en plus sombre et l'océan rageur. Elle aurait vivement souhaité pouvoir demander au doux rêveur solitaire son opinion personnelle sur la gravité de cette tempête, mais cette stupide timidité, qui chez elle allait et venait, était précisément venue.

Elle commit l'erreur de recueillir en échange l'opinion de Bettina.

– Tempête? Tu veux rire! Ce n'est rien du tout, ce que tu vois là! Jusqu'à maintenant en tout cas; plus tard, on verra. Kenneth et moi, on en a essuyé d'autrement gratinées, n'est-ce pas?

– Ouaip. Même qu'une fois on a bien cru que ça y était, on coulait corps et biens. Woooush!

Et Kenneth, avec beaucoup de conviction, mima sur-le-champ le naufrage d'un paquebot.

– Et nos parents avaient tellement la frousse qu'ils s'étaient habillés et jouaient au gin-rummy*!

Laura ouvrit tout grands les yeux.

– Et vous? Ils vous avaient dit de vous habiller aussi?

* Gin-rummy : jeux de cartes.

– Oh! tu sais ce que c'est que les parents; ils ne voulaient pas nous affoler. Ils nous auraient plutôt laissés nous noyer.

Le bateau piquait du nez, se relevait, se balançait d'un bord sur l'autre, était pris de tremblements.

Et Maggie aussi tremblait.

– Il me semble... Ça n'a pas l'air de s'arranger, on dirait, dites?

Bettina annonça qu'elle allait voir ça de plus près, afin de donner son avis éclairé. Elle revint de la baie vitrée en affirmant sans réplique qu'en effet, oui, ça empirait; ça pourrait bien être une tornade, pour finir.

Et Kenneth rappela que parfois des gens se tuent à bord d'un bateau, lors d'une tempête.

Maggie, voyageuse au long cours, a des crampes d'estomac. Oh! non, ce n'est pas le mal de mer (jusqu'à présent, elle a été beaucoup trop occupée pour avoir le mal de mer). C'est la peur.

A propos de mal de mer, c'était le type de deux mètres de haut qui n'avait plus l'air tellement en forme. Il perdit subitement ses couleurs et s'éclipsa en hâte.

Les Dingues venaient d'entamer une version italienne de la chanson « Vous, les copains, je ne vous oublierai jamais », lorsque deux officiers apparurent à la porte de la salle de danse.

Maggie les reconnut : c'était la paire du matin, les officiers au papillon, et manifestement ils cherchaient quelqu'un. Et ce quelqu'un, c'était Maggie. Car du plus loin qu'ils l'aperçurent, ils lui firent signe de s'approcher. Et Maggie s'approcha sans crainte, persuadée que ces gentils messieurs en uniforme n'étaient venus là que pour la rassurer sur le compte de sa tante Yvonne. Cette réconfortante bouffée d'optimisme était si bonne qu'elle en oublia du coup la tempête.

Mais ils n'avaient point l'intention de parler de Tante Yvonne. Ils allèrent droit au but.

– Le *ragazzo,* le garçon, l'as-tu vu?

Maggie s'effondra intérieurement. Une misère de plus! Elle pour qui la coupe était pleine.

– Garçon... Garçon... Quel garçon?

Ils lui rafraîchirent la mémoire.

Ah! ce garçon-là? Non, elle ne l'avait pas vu. Non non. Elle ne l'avait plus revu depuis ce matin.

Les officiers paraissaient sceptiques.

Ils lui dirent même tout cru qu'ils ne la croyaient pas et qu'elle serait bien gentille de coopérer, parce qu'il était extrêmement urgent de le retrouver sur l'heure.

– Mais je vous assure que je ne sais pas du tout où il est, promis, juré! Et même...

Elle s'était arrêtée net.

– Et même quoi, *signorina*?

La voix de l'officier s'était faite cinglante; l'autre la dévisageait d'un air dur.

– Et même que j'aimerais bien le savoir..., souffla Maggie.

Ils l'étudièrent attentivement, puis échangèrent quelques mots, très vite, en italien.

– *Signorina,* nous le retrouverons. Sur un bateau, on est toujours retrouvé. Tant qu'on est encore sur le bateau.

– Tant qu...? Mais où pourrait-il être, sinon?

Ils laissèrent la réponse à son imagination vive.

– Oh! non...

Et c'était vrai. Se faire balayer d'un pont, par gros temps, c'était hélas de l'ordre des choses possibles. Cela pouvait arriver même à de robustes marins.

Pour le poids plume qu'était Jasper, une simple lame devait suffire. Ce ne serait pas moucharder que de tenter de sauver une vie humaine.

– Je n'en suis pas certaine... mais il me semble que... j'ai peut-être mal vu... mais je crois... ce n'est pas sûr... ce n'était pas forcément lui... je pense que je l'ai vu... qui sortait... vers quatre heures... sur le pont...

Du geste, elle indiquait la direction de la mer.

Les officiers parurent trouver cette éventualité alarmante. Leurs derniers mots pour Maggie furent un ordre : si jamais elle le voyait, elle devait aller le leur dire im-mé-dia-te-ment. C'était un ordre sans réplique. Ils avaient la mine sévère, la voix officielle, et ne plaisantaient pas.

Sitôt qu'ils eurent disparu, Maggie s'en voulut de n'avoir pas demandé, l'air innocent, *pourquoi* ils recherchaient Jasper. Lamentable omission qui ne pouvait que la rendre encore davantage suspecte de complicité. Si du moins, sur ce point, leur conviction n'était pas déjà faite. Non, vraiment, décidément, elle n'était pas une complice-née.

Tous les autres voulaient savoir ce que recherchaient les officiers.

– Ils ne me l'ont pas dit, aventura Maggie.

Elle était trop secouée pour se rendre seulement compte de ce qu'une pareille réponse avait d'absurde et d'invraisemblable.

Naturellement, ce fut Bettina qui interpréta les choses :

– Pensez comme ils ne l'ont pas dit! C'est elle qui ne veut pas nous le dire, oui!

Maggie prévint qu'elle s'en allait. Il lui fallait trouver le moyen de réfléchir; elle se demandait encore que faire : fallait-il tenter de trouver Jasper pour le prévenir – s'il était encore trouvable? Ou ne rien faire du tout, de peur de s'enfoncer encore un peu plus dans le pétrin?

Elle retourna à sa cabine pour y méditer en paix.

Là, ouvrant la porte, elle vit Jasper et Mme Stone, qui la regardaient tranquillement.

Chapitre 7

– Auriez-vous par hasard des dons de voyante? Des dons de perception extra-sensorielle ou des trucs comme ça? était en train de demander Jasper à Mme Stone.
– Ce serait trop facile, répondait Mme Stone. Non, malheureusement. Mes dons de perception ne me sont venus qu'à la longue, et pas sur un lit de roses, avec des années et des années d'essais et d'erreurs, beaucoup d'erreurs, même, dirais-je... Maggie, je m'apprêtais à préparer un petit bouillon chaud pour Jasper. J'ai l'impression qu'une tasse de quelque chose ne te ferait pas de mal non plus.
– Mais! Que fait-il ici, *lui*?

Maggie indiquait Jasper, enveloppé dans une couverture. Il avait toujours sur la tête son chapeau colonial, spongieux, passablement informe.

– Jasper est notre hôte. (Mme Stone se débattait avec une timbale métallique et un fil électrique.) Et ceci est un chauffe-liquide, qui fonctionne par immersion. Je m'en sers lorsqu'il m'arrive, à l'hôtel, de désirer quelque chose de chaud à des heures où il est inutile d'espérer quoi que ce soit. Je ne m'en suis jamais servi en bateau, mais je dois dire que je n'ai jamais été confrontée à pareil cas d'urgence. En bateau, d'habitude, il suffit de sonner le garçon de cabine, et ce quelle que soit l'heure. Mais dans les circonstances présentes, je ne pense pas que ce soit la chose à faire. Jasper, veux-tu jeter un coup d'œil et me dire si je peux brancher cette chose ici? Je préférerais ne pas tout faire sauter.

– Quel est le voltage?

– Le voltage, le voltage! cingla Maggie. Arrêtez votre cinéma, vous deux, et expliquez-moi un peu de quoi il retourne. J'ai des nouvelles pour vous, moi aussi.

– De quoi il retourne? Rien n'est plus simple. Jasper et moi-même étions apparemment les seuls passagers intéressés par le spectacle de la mer. Seulement, moi, j'étais vêtue en conséquence. Et pas Jasper. Jasper, tu aurais dû te munir d'un ciré. Je t'assure qu'il n'y avait pas besoin d'être grand clerc pour deviner que tu voyageais clandestinement.

– Oui, eh bien! c'est fini, le voyage clandestin, cingla Maggie.

– Que veux-tu dire?

– Qu'ils sont à ta recherche.

Jasper arracha sa couverture et bondit sur ses pieds.

– Qui m'a vendu?

Son regard était féroce, et son teint subitement terreux.

– Non, ce n'est pas moi, pas moi..., commença Maggie, et elle fondit en larmes.

Mme Stone tendit un mouchoir à Maggie, et à Jasper la timbale fumante dans laquelle elle venait de glisser un cube de potage instantané. Mais il secoua désespérément la tête. Il avait bien du mal à ne pas pleurer lui aussi.

– Bien. Tâchons tous de garder notre calme..., les exhortait Mme Stone, lorsqu'un coup à la porte l'interrompit net.

Sans attendre la réponse, Stella fit irruption, chargée de serviettes propres.

Et derrière elle, sur ses talons, suivaient les deux officiers. Dès qu'ils eurent aperçu Jasper, ils échangèrent en italien quelques propos excités. Puis l'un d'eux s'avança vers Jasper.

– Toi, tu viens avec nous.

– Où l'emmenez-vous? voulut savoir Mme Stone.

– *Il commandante* le réclame.

– Qu... qu'allez-vous faire de lui? bredouilla Maggie.

– J'aurais cru le capitaine trop occupé, par un temps pareil, fit observer Mme Stone.

– Capitaine a du temps pour tout.

– En ce cas-là, je viens avec lui.

Mais l'officier leva la main pour l'arrêter, secouant la tête.

– Non, non, *signora. Il commandante* a dit garçon. Il n'a pas dit garçon et dame. Vous voudrez bien m'excuser, *signora,* mais pour voir le capitaine, c'est seulement sur rendez-vous.

Il la salua d'une courbette.

Mme Stone agita un doigt, comme pour lui faire une révélation.

– Ce garçon est un bon garçon.

L'officier réitéra sa courbette.

– *Signora,* ce garçon est un mauvais garçon.

Il fit un signe à Jasper.

– Viens.

Mais Mme Stone avait un dernier conseil à souffler au garçon.

– Souviens-toi, Jasper. Nom, rang, numéro de série, c'est tout.

Jasper eut un pauvre sourire.

Maggie n'avait jamais vu personne tant ressembler à un chien battu que Japser emmené par ces deux officiers. Frêle, trempé, la mine atterrée, il avait l'air vaincu à jamais. Lorsque la porte se fut refermée sur eux, elle se jeta sur la couchette de Mme Stone pour y brailler comme un bébé. Mme Stone s'assit sur une chaise et attendit patiemment la fin de ces lamentations.

Et Maggie finit bel et bien par se calmer.

– Mais que vont-ils faire de lui? redemanda-t-elle.

– Honnêtement, je n'en sais rien, avoua Mme Stone. J'imagine qu'ils vont le faire travailler... Pauvre gosse : je me demande bien ce qui l'a poussé à s'enfuir de chez lui. Entre ta tante Yvonne et Jasper, voilà bien des énigmes, pour une seule traversée.

– Peut-être qu'il a commis un crime?

– Oh! je ne le pense pas. Pas avec des yeux pareils.
– Pourtant, dans les livres, on voit tout le temps de ces bons garçons, gentils, polis, pieux même, et tout et tout, et pour finir ils font des trucs comme d'assassiner leur grand-mère.
– Pas Jasper. Non, ce garçon n'a pas assassiné sa grand-mère, j'en mettrais ma main au feu.
– Ce qui est sûr, c'est que les bonnes manières et lui, ça fait deux!
– Justement. Pas du tout le genre assassin.

Maggie s'essuya les tempes à deux mains.
– Mouais. Avec tout ça, moi, je dois être jolie, tiens! Une vraie sorcière, je parie.
– Mais non. Tu n'as besoin que d'une bonne douche, et puis d'enfiler une jolie robe.

Les fameuses cordes avaient bel et bien été mises lorsque Maggie sortit pour aller dîner, et elle entendit quelqu'un faire observer, dans un couloir, que les stabilisateurs du bateau n'avaient guère l'air efficaces.
– C'est parce qu'ils ne servent en fait

qu'à casser le roulis, expliqua quelqu'un d'autre. Alors que là, cette pauvre baignoire, élle tangue de bon cœur, aussi.

Pour tanguer de bon cœur, ça tanguait de bon cœur.

Si bien que les passagers ayant réussi à gagner la salle à manger arboraient tous plus ou moins un petit air de triomphe, fiers qu'ils étaient d'avoir à ce point le pied marin.

« Alors, dis-nous, comment étaient-ils habillés? » Ce serait, bien sûr, sa mère qui poserait cette question – tout simplement parce que personne, jamais, ne revêtait l'habit de soirée à Tilton, Iowa (du moins, personne dans les milieux que fréquentait la famille de Maggie.) Ce qu'ils portaient? Des atours comme on n'en voit qu'au cinéma ou à la télé. Les dames avaient la robe longue et soyeuse, le soulier fin et pointu, le bijou étincelant. Même les messieurs étaient habillés comme des milords, comme aurait dit Tante Harriet – smoking, cravate noire et, pour certains, de drôles de chichis blancs tuyautés au jabot. On aurait pu croire un merveilleux dîner costumé. Avec la tempête pour toile de fond, cela vous prenait carrément des allures de rêve éveillé.

La tenue « habillée » de Maggie avait été concoctée par sa mère, en accord avec les instructions très précises de Tante Yvonne. « Quelque chose de simple, en rapport avec l'âge de l'enfant, et élégant. » Cet « élégant » avait poussé sa mère à compulser des quantités de revues de mode – il l'avait poussée aussi au bord de la crise de nerfs. Le résultat en était deux robes de cotonnade, longues, dans le style de celles que les magazines étiquetaient « romantiques »; lorsque Maggie les avait essayées pour la première fois, dans la cuisine, sa mère avait écrasé une larme, son père lui avait demandé (avec une drôle de voix) de lui réserver sa première danse, et Sam avait décrété que comme épouvantail, ce n'était pas si mal.

Conformément à la prédiction de Mme Stone, bon nombre de tables restèrent obstinément vides ce soir-là. Les Albanais étaient au nombre des absents. Moins bousculés que d'ordinaire grâce à l'effectif réduit des dîneurs, les deux Ricardo eurent tout le loisir de s'empresser auprès de Maggie avec autant d'humour que de zèle, et tinrent absolument à la voir « manger italien ». « Plats italiens meilleurs quand mer mauvaise », plaidèrent-ils. L'unique tourment qui lui eût été épargné jusqu'ici était précisément le mal de mer, mais les plats italiens se révélèrent tout aussi excellents contre ses autres soucis. Les deux Ricardo, avec force rires et facéties, lui apprirent à enrouler ses spaghetti autour de sa fourchette, l'obligèrent à goûter de l'anguille (« De l'anguille? » s'était-elle récriée avec horreur; mais ça aurait été exquis si elle n'avait pas su de quoi il s'agissait); ils insistèrent formellement pour qu'elle prît du *vitello all'uccelletto con carciofi,* et elle fut délicieusement surprise de voir arriver une sorte de sauté de veau garni de petits champignons et de cœurs d'artichaut émincés, toutes choses qu'elle adorait – et qu'elle savait parfaitement comment manger, ce plat nouveau ne réclamant aucune technique particulière.

Le moment du dessert venu, elle traversa la salle à manger pour rejoindre Mme Stone. La robe de Mme Stone était aussi simple qu'il est permis de l'être – soie noire et manches longues, comme prévu. Pour seuls bijoux elle avait un collier de perles, très court, assorti d'une simple broche. Pourtant, avec ses cheveux blancs remontés vers l'arrière, Maggie lui trouvait une allure royale – beaucoup plus d'allure, en tout cas, que toutes les autres dames présentes. Une bouteille de vin mise à rafraîchir dans un seau d'argent, près de sa table, apportait à cet air princier une touche finale.

– J'ai quelques nouvelles de Jasper, murmura Mme Stone.

– Mauvaises?

– Non, deux ou trois détails, simplement. Je les ai obtenus auprès du commissaire. C'est le père de Jasper lui-même qui avait réclamé des recherches supplémentaires sur le bateau. Il avait envoyé un câble pour demander s'il n'y avait pas par hasard à bord un passager clandestin. Et il avait donné une description de Jasper, chapeau colonial y compris. (Elle marqua une pause.) Une erreur, ce chapeau colonial. Il rendait Jasper beaucoup plus facile à repérer. On dit que souvent les gens cherchent à se faire prendre. C'est à se demander... Quoi qu'il en soit, le capitaine a forcé Jasper à envoyer un câble à son père. Le commis-

saire m'a dit que le plus bizarre, c'est la réaction de Jasper sur ce point. Il avait l'air plus furieux qu'effrayé. (Elle se tut de nouveau un instant.) Ces câbles à partir d'un bateau sont extrêmement coûteux. J'espère que la famille de Jasper a de quoi se les offrir.
– Mais lui? Qu'ont-ils fait de lui, au juste?
– Le commissaire s'est montré très, très évasif sur ce point, je suis au regret de le dire. Charmant, mais très évasif. Ah! Voici notre soufflé!

Comme par hasard, au même instant, le bateau se mit à rouler frénétiquement, et chacun s'arrêta de manger, la fourchette en l'air, pour suivre des yeux le serveur apportant le somptueux soufflé. Lorsqu'il eut déposé le soufflé sain et sauf sur la table, sa prouesse fut saluée par une salve d'applaudissements. Le soufflé avait survécu à son transport dans toute sa gloire, et le serveur s'inclina très bas par deux fois, à gauche, puis à droite.

Parfois, lors des fins de mois difficiles (c'est-à-dire au moins douze fois l'an), la mère de Maggie préparait pour le dîner du soufflé au fromage, au lieu de saucisses aux haricots. Les soufflés maternels n'avaient rien de détestable, mais Maggie préférait de loin les saucisses et les haricots. Elle n'avait jamais, par contre, goûté à du soufflé au chocolat, accompagné de surcroît d'une crème veloutée pour le napper dans l'assiette. Et, tout en savourant ce mets littéralement divin, elle se fit la réflexion que, si elle revenait de ce voyage absolument « gâtée-pourrie » (comme disait Tante Harriet), ce serait bien fait pour tout le monde.

En chemise blanche à jabot plissé, M. Dumont remontait l'allée; il avait fini de dîner. Apercevant Maggie attablée avec Mme Stone, il hésita un instant, puis s'approcha de leur table. Il clignotait peut-être un peu moins que d'ordinaire.

– Tiens! tiens! s'écria-t-il sur un ton enjoué. Notre chère mincure non accompagnée serait-elle à présent accompagnée?

Il s'adressait à Maggie, mais son regard avait parcouru brièvement Mme Stone de la tête aux pieds. Mme Stone demeura impassible, à l'exception d'un sourcil qui s'était levé imperceptiblement.

Cette remarque aussi aimable que détestable ne méritait guère de réponse, et pourtant Maggie, pointant sa petite cuillère vers ce qui restait du soufflé, l'informa froidement :

– J'ai été invitée.

– Aaaah! roucoula M. Dumont, se remettant à clignoter. La prochaine fois, ce sera mon tour.

Et sur un dernier clignotement, il tourna les talons.

Vers ce dos qui s'éloignait, Maggie, sans même y penser, tira brièvement une langue bardée de chocolat.

– Ma foi, commenta Mme Stone, je suis plutôt d'accord avec toi. Il en rajoute un peu trop.

Au moment de quitter la salle à manger, Mme Stone déclara qu'après le café, au salon, ce serait une bonne idée que d'aller se changer (se changer, décidément, était l'une des principales activités à bord), de s'équiper dûment de quelque vêtement étanche et d'aller faire un tour sur le pont. Maggie voulut savoir si le pont-promenade (couvert et enclos de baies vitrées) ne convenait pas mieux à une balade d'après-dîner, par un temps pareil? Non, car ce n'était pas à une simple promenade digestive que songeait Mme Stone : son idée, c'était d'aller contempler, respirer, savourer le gros temps. Et elle enjoignait fermement Maggie d'en faire autant.

– Il est grand temps de te décider à profiter pour de bon de ce cadeau somptueux que t'a offert là ta tante Yvonne, conclut-elle sévèrement.

– Oui, ma'ame, murmura docilement Maggie.

Une lame vint ébranler le bateau d'un violent coup de boutoir, et toutes deux se cramponnèrent l'une à l'autre.

Chapitre 8

La nuit durant, les éléments – le vent, la pluie, et un océan noir de rage – se combinèrent pour rudoyer le *Toscana* si sérieusement que le capitaine, abandonnant sa couchette, dut remonter en catastrophe à la timonerie plongée dans l'obscurité (plongée dans l'obscurité à dessein, afin que les officiers de veille puissent scruter tant bien que mal l'océan sombre et déchaîné).

Vers deux heures du matin, n'importe quel bruit, à bord d'un bateau, semble un assourdissant fracas, surtout à des oreilles habituées aux nuits de la terre ferme. Aussi le coup de bélier sonore qui retentit soudain à l'intérieur du bateau, pareil à une détonation, suivi d'une véritable pétarade en tir de barrage, éveillat-il Maggie en sursaut, le cœur battant la chamade.

Sans même réfléchir, elle s'extirpa de sa couchette et descendit dare-dare la petite échelle.

– Madame Stone! Madame Stone! Le bateau éclate en morceaux!

Un petit rire étouffé lui répondit.

– Mais non, Maggie, ne t'inquiète pas. Ce boucan que nous venons d'entendre, c'est probablement quelque conteneur de la cargaison qui se sera libéré dans la cale. Et tous ces autres bruits que tu entends, ces craquements, ces secousses, ces glissements, ce sont d'excellents bruits à entendre : ils signifient que le bateau est un bon bateau, capable de ployer, de réagir souplement aux assauts de la mer, d'accompagner ses mouvements, au lieu de se raidir et de lui résister, au risque justement de casser.

– C'est vrai? Vous ne dites pas ça pour...

– Pour te rassurer? Non, pas du tout. Je t'assure, je crois que c'est la pure vérité, ce que je te dis là. Ce sont les bateaux muets, ceux qui ne craquent pas, ne gémissent pas, qu'il faut redouter, vois-tu. Autrefois, il y a longtemps de cela, un vieux marin me l'avait dit : les seuls bateaux qui lui inspiraient confiance, c'étaient les bateaux bruyants. C'est une chose qui m'avait frappée, je m'en suis toujours souvenue depuis.

– Oui mais... Aussi bruyants que celui-ci? Vraiment?

– Bon, je t'accorde que cette nuit, c'est un peu bruyant. Mais je vais te dire : pour moi, ce concert – le vent, la mer, le bateau qui bronche –, c'est plutôt exaltant, non? Si tu regagnais ta couchette, pour essayer d'y trouver du plaisir, toi aussi?

– Mmmm.

– Je vois. N'en parlons plus. Mais tu verras : tu seras ravie de pouvoir raconter ça, plus tard. Crois-moi.

– Oui. A condition d'être encore là pour raconter l'histoire.

Malgré tout, à sa propre surprise, Maggie peu à peu se mit à écouter ce concert de sons avec un intérêt nouveau. A les écouter ainsi, l'oreille aux aguets, elle n'avait plus tout à fait aussi peur. Ployer... Réagir souplement... Accompagner le mouvement... Ployer... Réagir souplement... Très éducative, vraiment, cette information inédite.

Elle gravit la petite échelle et se coula dans sa couchette.
– Bonne nuit, madame Stone.
– Bonne nuit, Maggie.
– Madame Stone?
– Oui, Maggie?
– Je suis bien contente que vous vous soyez souvenue de ce que vous avait dit ce marin. Ça, c'est vraiment un drôlement bon souvenir à faire partager aux autres par une nuit comme celle-ci.
– Et moi, je suis contente que tu le trouves utile. Cela dit, je te l'avoue volontiers, tous mes souvenirs ne sont pas si utiles. Certains sont seulement là... comment dirai-je?... pour faire joli.

N'empêche, se disait Maggie. Ce poète (comment s'appelait-il, déjà? Auden ou quelque chose comme ça), ce poète n'était pas idiot, vraiment.

Elle s'enfonça sous ses couvertures. Oui, ce dénommé Auden devait avoir raison : elle ne sentait guère de fossé entre elle et Mme Stone.

Ce fut un silence insolite, le matin venu, qui tira Maggie du sommeil. Elle songea même, un instant, que le bateau avait dû tomber en panne et qu'ils étaient à présent coincés au beau milieu de l'océan. Puis, à mieux prêter l'oreille, elle comprit que par bonheur il n'en était rien : tout simplement, la tempête s'était tue.

Le soleil avait refait son apparition, la mer n'était plus animée que de clapotements rageurs et, pour ce deuxième jour de traversée, chacun avait repris son sourire de vacances.

Seule Mme Stone était un peu déçue. Elle avait compté sur trois jours de gros temps au moins.

– Seulement, j'avais oublié ce satané Gulf Stream et cette ligne sud. A cette époque de l'année, à partir d'ici, c'est presque toujours le grand calme.

Maggie se fit en silence la réflexion que c'était pour elle un tracas de moins. Toujours ça de pris; car des sources de tracas, il lui en restait encore deux : Tante Yvonne et Jasper.

Pauvre, pauvre Jasper! Il était beaucoup plus qu'un tracas ordinaire. N'était-il pas, depuis la veille, un hors-la-loi, entre les mains de la justice pénale?

Elle fit trois pas sur le pont ensoleillé. Miracle de se retrouver saine et sauve, après une nuit infernale! Il était difficile de croire qu'un océan de ce bleu layette, tout juste brodé d'un peu d'écume blanche, avait pu la veille au soir être ce monstre bavant, fou furieux.

L'instant était tellement délicieux qu'elle en laissait le vent jouer dans ses cheveux, sans même songer qu'ensuite ils frisotteraient sans vergogne – à la vérité, sans même songer du tout, point final.

La pensée lui revint d'un coup à l'apparition surprenante, dans son champ de vision, d'une frêle silhouette de garçon, aux cheveux châtains un peu longs, et qui se penchait par-dessus le bastingage – qui se penchait même beaucoup trop, de l'humble avis de Maggie.

– Hé! Jasper! appela-t-elle tout bas.

Il tourna la tête, l'air excédé.

– Bon sang, pourquoi cries-tu si bas, toi, grosse maline?

– Pour ne pas risquer de te faire piquer une tête, gros malin toi-même. Eh ben! ça ne t'a pas amélioré le caractère, dis donc, de t'être fait prendre!

– Evidemment que non! Elle est bonne! Je ne vois pas pourquoi je serais d'humeur radieuse!

– Pour la simple raison, par exemple, qu'ils ne t'ont pas jeté à fond de cale, voilà pourquoi!

– Ah! j'aimerais mieux, tiens! marmonna-t-il entre ses dents.

Et il reprit sa contemplation de la mer.

Quant à Maggie, médusée, elle restait plantée là sans savoir s'il fallait s'éloigner ou rester.

Pour finir, elle s'approcha de lui et le toucha du bout du doigt, précautionneusement, comme s'il était quelque serpent susceptible de lui sauter au nez.

– Dis, Jasper. J'aimerais bien savoir, moi...

Pas de réponse.

– Jasper? Que vont-ils te faire, finalement?

Il se retourna lentement.

– Tu tiens vraiment à le savoir?

Elle n'en était plus si certaine, mais elle acquiesça poliment.

– Tu veux que je te dise? Rien, voilà ce qu'ils vont me faire. Rien du tout. RIEN. C'est tout.

– Mais enfin, Jasper! Si ce n'est pas une bonne nouvelle, alors moi j'y perds mon latin!

Il la foudroya du regard.

– Ecoute, enfin! persista-t-elle, perplexe. Tu n'as pas l'air content?

– Je ne le suis pas.

Miséricorde, se dit Maggie. C'est bel et bien un fou, finalement.

– Et je ne suis pas fou non plus, ajouta-t-il, comme s'il lisait dans ses pensées, qu'elle avait dû laisser transparaître. Ou du moins, rectifia-t-il, pas à ma connaissance.

– Oh! non! s'écria Maggie avec ferveur, comme pour se rassurer elle-même. Tu n'es pas fou. Je parierais n'importe quoi que tu ne l'es pas.

– A ta place, je ne parierais pas. Par contre, il y a une chose dont je suis bien certain.

– Ah bon? Et laquelle?

– C'est que je suis un raté. Un de ces pauvres types qui ont toujours perdu d'avance.

Une bourrasque soudaine vint ponctuer ces mots, mouvement d'humeur inattendu de la part de cette douce brise qui avait succédé au vent fou de la nuit; Jasper et Maggie s'en retrouvèrent l'un et l'autre derrière un rideau de cheveux.

Maggie écarta les siens de son visage ; Jasper les garda sur ses yeux.
– Tu ne m'as pas tellement l'air d'un raté, pourtant, avança Maggie.

Jasper écarta ses cheveux de côté, d'un geste brusque.
– Ah non? J'aimerais bien que tu me dises à quoi ça ressemble, quelqu'un qui n'a pas tellement l'air d'un raté!

Maggie demeura muette.
– Allez, vas-y. Décris-moi ça. Je suppose que je suis le portrait tout craché de Joe Namath, de Muhammad Ali, de John Nicklaus*, de...
– Qui a dit que tu devais forcément ressembler à un champion du muscle?
– Qui l'a dit? Tous. Tous ceux de ma famille. Ma mère, mon père, ma sœur, mes deux frères... et mon grand-père paternel... Tu parles! Je ne ressemble même pas à Riva Ridge!
– Qui c'est, celui-là?
– Un cheval de course qui a gagné le Derby, tout bêtement, pauvre ânesse!
– Ah! j'adore! Tu voudrais ressembler à un cheval, et c'est moi la pauvre ânesse!
– Façon de parler. Et si tu veux, je vais te

* J. Namath, M. Ali, J. Nicklaus : sportifs célèbres.

dire à qui encore j'ai le tort de ne pas ressembler. (Sa voix avait monté d'un ton vers les aigus.) Je ne ressemble ni à Einstein, ni à Freud, ni à... à... Voilà. Et maintenant, demande voir un peu à qui je ressemble. Vas-y, demande.
– A qui? souffla Maggie, si bas que le vent emporta la question.
– A un quidam. A monsieur N'importe-Qui. A monsieur Tout-le-Monde. Tu veux savoir ce que je suis, en réalité?
– Dis toujours.
– Un pauvre vermisseau, tout mou, tout nu, voilà ce que je suis. Un incapable, si tu préfères, dans une famille de surdoués. Dans une famille où tout le monde rafle des coupes et des diplômes d'honneur et des médailles – au tennis, au golf, à tout ce que tu voudras. Dans une famille où ils savent tous ce qu'ils feront plus tard. Avocat, par exemple, avocat de grand renom, de plus grand renom encore que mon père (qui est avocat lui aussi); et chercheur scientifique, mais pas le petit chercheur obscur, non, le type à décrocher le prix Nobel, au moins, bien sûr. Quant à ma sœur, l'idiote, tu sais ce qu'elle a décidé de devenir?

– Non.
– La première femme président des Etats-Unis, naturellement!
– Bigre!
– Et moi, hein, moi? Tu le sais, ce que je serai, plus tard?
– Ben... A vrai dire... Non.
– Parfait. Comme ça, on est deux à ne pas le savoir. Je n'en ai aucune idée.
– Oh! tu sais, moi, sur ce point, je change d'idée tous les jours.
– Oui, mais dans ma famille, on est censé savoir de naissance ce qu'on sera plus tard, et se mettre tout de suite au travail dans ce sens.
– Ecoute, Jasper. Là, il y a quelque chose que je n'arrive pas à comprendre. S'ils ont tous tellement la grosse tête dans ta famille, s'ils sont tous des cracks, je ne comprends pas très bien pourquoi ils ne sont pas fiers de toi qui... de toi qui.. (elle s'écarta prudemment d'un pas)... S'il te plaît, ne te fâche pas comme l'autre fois, mais il me semble que tu dois être déjà pas mal doué pour savoir les tonnes de choses que tu sais déjà!
– Pardi! Parce qu'il y a doué et doué, figure-toi. Les trucs que je sais et qui m'intéressent, dans ma famille, ils comp-

tent pour du beurre. Pour eux, ce ne sont que des trucs stupides et sans intérêt. Et quand ils m'appellent le Crack, justement, tu peux traduire : le Crétin. Et peut-être qu'au fond ils ont raison.

– Alors là, non, sûrement pas!

– Merci, soupira Jasper.

Mais c'était dit sans conviction, et d'une voix profondément triste.

Devant cette mer étincelante aux reflets aveuglants, la fureur rentrée de Jasper parut soudain s'apaiser; mais sa tristesse manifeste n'en était que plus profonde et poignante.

Il poursuivit, comme pour lui-même :

– Il y a tout de même quelque chose de bizarre : j'ai deux frères et une sœur, et pourtant je suis seul. Remarque bien, ça m'est égal. La solitude, on s'en accommode – à condition qu'on vous fiche la paix. Mais ce qu'ils trouvent crétin, par exemple, c'est que je lise des poèmes assez souvent. « C'est pas que tu t'imagines devenir poète un jour, Jasper? Alors, à quoi ça rime de lire tous ces poèmes que tu ne comprends même pas? » (Pour cette évidente citation, il avait pris un ton pompeux.) Voilà. Ce que tu viens d'entendre, là, c'est mon frère Tom, celui qui doit devenir avocat. Comme si la poésie avait besoin d'être comprise! « Si douces soient les mélodies qui parlent à l'oreille, plus douces encore sont celles que personne n'entend... »

Pour cette dernière citation, il avait presque chuchoté.

– Papa dit toujours que celui qui tient absolument à *comprendre* tous les mots d'un poème devrait s'en tenir aux vers de mirliton des cartes de vœux... Au fait, c'était de toi, là, ce que tu viens juste de dire?

– Non. De Keats. Dis donc, j'aimerais bien avoir un père comme le tien, en échange de ce grand ténor du droit des affaires qu'est paraît-il le mien; avec lui, même pas le droit d'être un...

– Un quoi?

– Un passager clandestin. Un vrai. Un qu'on flanque à fond de cale si on le prend.

– Mais? Là je ne comprends plus. S'il y a quelque chose que tu es sûr d'être, c'est bien un passager clandestin!

– Eh non! Même plus, depuis que mon père a payé pour ma traversée, et qu'il s'arrange pour m'obtenir un billet d'avion, pour mon retour, au départ de

Gênes, et que ma mère – tiens-toi bien – les a suppliés, aussi, pour qu'ils trouvent le moyen de me faire mes piqûres contre le rhume des foins. Tu te rends compte? En mer! Le rhume des foins! Parce qu'il y a une chose que j'ai oublié de te dire : non seulement je suis un pauvre petit minable, mais encore il faut que je vive dans un cocon parce que je suis fragile, imagine-toi. Tu veux que je te dise? Ils me traitent exactement comme je ne sais quelle petite plante chétive que le vent serait venu semer par erreur dans leur jardin. Je t'assure, je suis né perdant. Battu d'avance. Dans ma famille, ils ont toujours tous raison.

– Ecoute, Jasper. Je viens de penser à quelque chose. Je sais que ce n'est pas aussi... aussi glorieux que d'être un passager clandestin, mais enfin, maintenant, tu es comme moi : un mineur non accompagné!

– Mineur non accompagné? Mouais. La belle affaire. Tu ne comprends pas. Etre passager clandestin, c'est un truc que tu décides toi-même, en prenant tes risques. Mineur non accompagné, ce sont des adultes qui l'ont décidé pour toi.

– Peut-être, mais quand même, passager clandestin, c'est contraire à la loi.
– Pour ça, tu peux le dire. Au cas où tu ne le saurais pas, dis-toi que si mon père n'était pas une grosse légume, qui a tout bonnement payé mon voyage et qui a surtout la chance de connaître une autre grosse légume, dans cette compagnie maritime, capable d'éviter la poursuite judiciaire, il paraît (c'est mon père qui me l'a dit lui-même) que j'aurais mille dollars d'amende à payer, en plus du remboursement de la traversée, ou alors, au choix, une année de prison. On ne plaisante pas, tu vois, avec les passagers clandestins. Voilà bien un truc qu'aucun d'eux n'aurait osé faire, dans ma famille. Aucun. Garanti sur facture. Tu veux que je te dise pourquoi?
– Parce qu'ils respectent la loi?
– Pas du tout. Parce qu'ils ont tous le mal de mer. Il n'y a que moi, dans cette famille, qui ne l'aie jamais.
– Pas mal, dis donc. Je comprends pourquoi tu as voulu t'embarquer!
– Merci.
– Et quand tu seras de retour chez toi, à ton avis, que vont-ils te faire?
 Jasper eut un sourire. C'était la pre-

mière fois que Maggie le voyait sourire, et ce sourire à lui seul était un petit miracle.

– Ha! Alors là! Combien je te parie qu'ils sont en train de se casser la tête là-dessus, eux aussi? Combien je te parie qu'en ce moment ils prennent des tas de contacts et d'avis divers – celui du directeur de mon école, celui du psychologue scolaire et du psychiatre de la famille, celui de tous les bouquins qu'on a pu écrire sur la question. « Votre enfant s'embarque clandestinement sur un navire; comment réagir », par le Dr Machin-Chose... (Il étouffa un soupir.) Combien je parie aussi qu'ils regrettent de m'avoir tant cassé les pieds pour que je me fasse couper les cheveux?

– Ah bon? C'est la petite goutte qui a fait déborder le vase?

– Un prétexte qui en valait bien un autre, non?

Il s'arrêta brusquement et dévisagea Maggie comme s'il s'apercevait soudain de sa présence.

– Dis donc, je trouve que je te raconte beaucoup de choses à toi!

– Oh! ça ne fait rien. Je t'assure, ça m'est égal.

– Ça t'est peut-être égal, mais là n'est pas la question. Ce qu'il y a, c'est que d'habitude je ne parle jamais de moi. A personne.

Maggie à son tour s'épanouit d'un sourire – le tout premier pour elle aussi, sans doute. Sa mère lui avait conseillé, avant le départ, d'avoir le sourire le plus souvent possible, parce que, disait-elle, son sourire était peut-être ce qu'elle avait de plus réussi, et qu'il devait pouvoir, en cas de besoin, faire fondre un cœur de pierre – y compris sans doute celui de son ange gardien...

– C'est peut-être parce que j'ai été ta complice, proposa-t-elle en explication à ce phénomène inattendu.

– Peut-être.

Là-dessus, sans plus approfondir ce mystère, ils se turent un instant pour contempler la mer, toujours du même bleu layette, et froncée comme une robe de bébé.

– Tu aimes bien? demanda Jasper en désignant l'océan du menton.

– Quoi?

– La mer.

– Euh... A vrai dire, je ne sais pas encore. Je ne l'avais jamais vue avant ce voyage.

C'est terriblement immense... un peu trop, peut-être, pour... pour aimer bien, non? Je veux dire, aimer bien, c'est un peu ridicule pour quelque chose d'aussi démesuré, tu comprends?
– J'adore la mer. C'est vrai que tu ne l'avais jamais vue avant?
– Jamais. Je n'avais jamais vu d'étendue d'eau plus vaste que le lac où nous allons en vacances. Au fait, pourquoi te penchais-tu comme ça, tout à l'heure?
– Oh! pour voir tout ce qu'il y avait à voir, et entendre tout ce qu'il y avait à entendre. La mer fait des bruits que j'adore. Mais en réalité, depuis ce pont, on n'en entend pas beaucoup. Le bateau fait trop de bruit lui-même, rien qu'avcc l'eau qu'il brasse et le boucan de ses hélices (enfin, je crois que ce sont les hélices qu'on entend). Je voudrais qu'on soit sur un quatre-mâts, tu vois, et qu'il nous faille trente jours et trente nuits pour atteindre Gênes, pas toi?
– Mmm... Ah!... Euh...
– Bon. Pas toi.
– Au fait, pourquoi ne te débarquent-ils pas à Lisbonne?
– Parce que ma mère estime que tant qu'on y est, ce voyage en mer sera bon

pour mon rhume des foins. Ma mère est ce qu'on appelle une personne de grand bon sens. N'empêche que, pour une personne de grand bon sens, elle avait l'air plutôt hystérique quand je l'ai eue à l'appareil (tu sais qu'ils m'ont forcé à leur parler, sur le bateau?). Et tu veux savoir ce qui a réussi à la calmer? Je te le donne en mille. C'est quand je lui ai dit que j'avais emporté mes deux brosses à dents, celle du matin et celle du soir. Je t'assure. Elle est redevenue calme quand elle a entendu ça.

Maggie était perplexe.

– Bizarre. Comment expliques-tu ça?

– Facile : elle s'est dit qu'un garçon qui pense à emporter dentifrice et brosses à dents dans une occasion pareille ne peut pas avoir le fond entièrement mauvais; il se pourrait même qu'il ait l'étoffe d'un honnête citoyen, pour finir. Ma famille ne jure que par les honnêtes citoyens. C'est ce qui compte le plus, pour eux : être un honnête citoyen. Pour moi, je te dirais qu'en l'occurrence ce qui compte, ce sont mes dents. Je suis le seul de la famille à n'avoir pas la plus petite carie. Et c'est un titre que j'entends conserver.

– Où vas-tu dormir et manger, maintenant que tu es un passager régulier?
– Eh bien, pour les cabines, tout est complet jusqu'à Lisbonne, si bien qu'ils s'apprêtaient à me loger à l'infirmerie, mais moi je leur ai demandé si je ne pouvais pas dormir plutôt sur une couchette du solarium. Ils ont dit d'accord. Il n'y a jamais personne la nuit, là-haut, et je me lève toujours tôt le matin. Je ne le leur ai pas dit, mais ce que j'aime bien, dans le solarium, c'est que j'y ai encore un peu l'impression d'être un passager clandestin. Bon. Pour les repas, moi, je voulais manger avec l'équipage. Ils ont dit non. Ils m'ont collé à la salle à manger avec des types du Maine qui ne disent pas un mot à table.
– C'est meilleur pour la digestion de ne pas parler à table, l'informa sentencieusement Maggie.

Et elle lui parla de son couple d'Albanais.

Jasper inspectait l'horizon.

– J'aimerais bien voir des baleines ou des marsouins.
– Ça, moi aussi.
– Et j'aimerais bien qu'on ait à tirer d'affaire un autre bateau, en pleine mer.

– Le tirer de quelle affaire?
– Oh! de n'importe quelle catastrophe maritime.
– J'ai horreur des catastrophes. Surtout maritimes.
– J'ai bien dit *tirer d'affaire,* non? S.O.S. Nous coulons. En avant toute! On y va, cap'taine. La mer est bougrement mauvaise. Le capitaine se tient sur la passerelle. Echange de signaux. Armez les canots! (Il s'y voyait déjà.) Mon vieux, qu'est-ce que ça serait chouette! J'adore les grands branle-bas de combat. Pas toi?
– Mouais. A franchement parler, je n'y tiens pas. Pas dans ma vie privée. D'ailleurs, pour le moment, j'ai un autre souhait à formuler.
– Ah! lequel?
– Que ma tante Yvonne soit bien là à Gênes au moment du débarquement.

Elle lui exposa par le menu les tenants et les aboutissants de ce souhait bien précis. Jasper fit preuve d'une honnête compassion, mais soutint que justement, ce dont elle avait besoin, c'était d'un peu d'événements mouvementés, d'un peu de sensationnel pour se changer les idées.

En matière de sensationnel précisément, ce jour-là, ce fut, bien malgré lui, Jasper qui en fournit leur ration quotidienne aux passagers du *Toscana*. La nouvelle se répandit qu'il avait été (pendant trente-six heures) un authentique passager clandestin, et chacun, là-dessus, avait son mot à dire – directement à l'intéressé, trop souvent.

– Méchant garçon, faire mourir de peur sa *mamma*!

– Qui aime bien châtie bien : il devrait être à fond de cale à l'heure qu'il est!

– Ou aux cuisines, à la corvée de patates!

– Je te garantis que si tu étais mon fils, à l'heure qu'il est, tu serais en train de passer la serpillière ou de récurer des casseroles!

Bettina voulait tout savoir – où, quand, comment, pourquoi? Elle avait l'intention de devenir agent de renseignements, plus tard. Jasper lui répondit qu'elle pouvait bien passer à la tête de la C.I.A., du F.B.I. ou de Scotland Yard, qu'il s'en moquait. Il n'avait pas l'intention de lui servir de cobaye et ne lui dirait rien du tout.

Laura et Pietro (ce dernier avec l'aide d'un interprète) lui firent savoir qu'ils le trouvaient courageux, tout de même.

Ces divers commentaires mirent Jasper mal à l'aise. En fait, le rôle de héros ne lui convenait pas mieux que celui de coupable, confia-t-il à Maggie. Tout ce qu'il souhaitait, c'était se faire oublier, et aussi pouvoir piquer une tête dans la piscine. Pietro lui fournit le slip de bain nécessaire à la réalisation de ce souhait, à la suite de quoi une collecte de vêtements fut lancée pour doter Jasper d'une garde-robe provisoire.

Ce jour-là, sur le pont-promenade, apparut une carte marine; un tracé au crayon rouge, ponctué d'un petit fanion, indiquait aux passagers la progression du *Toscana,* assortie de sa vitesse moyenne. Dorénavant, en s'inspirant de cette carte, les passagers pourraient s'amuser à tenter de deviner la distance parcourue chaque jour, et à placer leurs paris auprès du steward de pont. C'était le « concours de pronostics *Toscana* » – titre qui dotait d'un délicieux parfum nautique un simple jeu de cagnotte.

Mais, avant la fin de la soirée, un autre jeu de pronostics, tout différent celui-là, allait bientôt se dessiner.

Le *marconigramma,* cette fois, avait été

glissé sous la porte de la cabine, où Maggie le trouva au moment de se changer pour le dîner.

CONSEILLE DÉBUTER ÉTUDE ITALIEN ÉLÉMENTAIRE STOP PAS D'INQUIÉTUDE.

Il était inutile de rechercher d'où provenait ce sage conseil.

Chapitre 9

C'est au type de deux mètres de haut – qui finalement s'appelait Peter – que revint l'idée du « concours de pronostics Tante Yvonne ». L'idée était de placer des paris sur la question de savoir si la dénommée Tante Yvonne serait là, oui ou non, pour accueillir Maggie à Gênes. Les parieurs fonderaient leurs pronostics sur les câbles reçus par Maggie – ou sur leur absence.

Ce fut au bel inconnu – qui finalement s'appelait John – que revint l'idée de s'enquérir d'abord des sentiments de Maggie :

– Avant de lancer un truc pareil, ce serait peut-être la moindre des choses de demander à Maggie ce qu'elle en pense, non ?

Maggie ne voyait là rien de bien folichon. Pour elle, qui déjà souffrait d'angoisses et de vertiges, l'idée de voir des gens faire des paris sur son sort n'arrangerait sûrement pas les choses. Mais d'un autre côté... bah! pourquoi gâcher le plaisir des autres? D'autant qu'après tout, en tant que fille d'une mordue des jeux de hasard, elle avait peut-être elle-même un rien de la fibre du parieur?

– Oh! moi, ça m'est égal, assura-t-elle bravement.

Ainsi naquit le « concours de pronostics Tante Yvonne », bientôt rebaptisé la « cagnotte Tantine », pour faire plus court. Il fallut expliquer en détail la règle du jeu à ceux qui n'avaient pas appris à jouer au poker sur les genoux de leur mère.

– C'est très simple, embrouilla Peter.

Et il se lança dans de grandes explications d'où il semblait ressortir qu'il existait au poker une première mise, pour constituer la cagnotte de départ, avant la distribution des cartes, et qui s'appelait l'« ante ». ANTE comme TANTE Yvonne, voyez l'astuce? Et caetera, et caetera...

– Alors comme ça, on n'aura le droit de miser qu'un seul *cent* par pari? se lamenta un joueur invétéré, lorsque tout eut été tiré au clair.

Pour finir, à l'unanimité, il fut convenu qu'en raison de l'inflation on pourrait aller jusqu'à dix.

Le dénommé Peter, qui prenait la direction de l'opération, plaça les dix premiers *cents*. Il pariait que Tante Yvonne *ne* viendrait *pas* cueillir sa nièce à Gênes.

Ce fut trop pour Maggie. Elle suffoqua si fort que chacun l'entendit.

John fut le deuxième à parier. Il paria, à haute et intelligible voix, que Tante Yvonne à coup sûr serait là sur le quai, à Gênes, qui attendrait Maggie. La jeune fille romantique, qui s'appelait Doris, paria bien sûr très exactement la même chose; leur opinion fut suivie par Alice, Jasper, Pietro, Laura, Kenneth, les Dingues et quelques autres. Peter et Bettina, champions du « non », restèrent ce jour-là à la tête d'une très faible minorité.

– Dis-toi bien qu'apprendre un rien d'italien de base est la meilleure idée qui soit pour tirer tout le parti possible d'une visite de l'Italie, assura John à Maggie en lui pressant amicalement l'épaule. Ta tante Yvonne a dû se souvenir de ça tout à coup, et comme elle m'a tout l'air d'être une femme à coups de tête et à petites extravagances, elle se sera dit qu'il fallait te le rappeler par câble...

D'un courageux petit sourire, Maggie remercia cette généreuse tentative en vue de lui remonter le moral.

Le soir même, après avoir avancé sa montre d'une heure, et avant d'éteindre sa lampe de couchette, elle s'efforça de se fourrer dans le crâne quelques-unes des phrases toutes faites du petit manuel d'italien que lui avait offert son père avant le départ. « Pour te tirer d'affaire en cas d'urgence, et peut-être même – sait-on jamais? – t'éviter la prison! »

Et le dernier mot que murmura ce soir-là Maggie, voyageuse au long cours, les paupières lourdes de sommeil, ce fut *Aiuto!* (prononcer « aïe-ou-tô! ») qui signifie en italien « Au secours! »...

L'étrave obstinément pointée vers le sud-sud-est, en direction des Açores et de Lisbonne, le fier *Toscana,* brillant et lisse comme une lame de sabre, fendait la mer et les flots aux environs du quarantième parallèle, bien résolu à rallier

Lisbonne en six jours, comme prévu – du moins sauf imprévu en route.

Le lendemain matin, Jasper – qui avait pour spécialité de se faufiler partout sur le bateau et de ressortir mystérieusement d'un peu n'importe où, comme un jeune chien – informa gravement Maggie et Mme Stone que le bateau tenait à présent le bon cap.

Maggie s'en déclara ravie; c'était une information du plus haut intérêt.

– Mais... avait-il donc dévié de sa route, auparavant?

– Oui, le coup de tabac l'en avait un peu fait dévier, justement. Ils faisaient route à l'estime, à ce moment-là. Autrement dit, seulement avec le gyrocompas et le calcul de la vitesse. Et à l'aide du radar aussi, bien sûr. Mais pas de la radio. On était déjà trop loin des terres pour ça. Alors (il souriait à cette idée), quand le vent est retombé, un type est monté sur la passerelle et a calculé la position, tout bêtement, sur le soleil. Avec un sextant. La nuit, il se repère sur les étoiles. La polaire, Arcturus, Régulus, et la planète Jupiter. Et c'est comme ça qu'ils ont remis le bateau sur sa route exacte.

Mme Stone eut un petit sourire de triomphe.

– Quand on y pense! Avec toutes les belles inventions de notre siècle, voyez qui a le dernier mot : un homme sur une passerelle, muni d'un instrument inventé au début du dix-huitième siècle, et qui prend pour repères le ciel et les étoiles! Ah! Jasper, c'est bon de t'avoir à bord, sais-tu?

Maggie redouta un instant de le voir exploser. A l'examiner attentivement, elle crut bien voir dans son regard une drôle de petite lueur. Mais non, c'était du plaisir, sans doute, plutôt que de la colère.

Tandis qu'ils progressaient à travers l'Atlantique, le quotidien du bord entretenait les passagers des toutes dernières nouvelles en provenance des terres – informations variées sur les différentes guerres en cours, les mouvements politiques, grèves et manifestations dans toutes sortes de pays, les heurs et malheurs de la haute finance, les heurs et malheurs des vedettes du tennis, du golf et du baseball, le relevé des conditions météorologiques à Tokyo, Oslo ou Phoenix – « actualités » lointaines et nimbées d'irréel, vues d'ici, en pleine mer; tout cela passionnait bien moins la plupart des passagers que le menu du dîner, les dernières péripéties du tournoi de bridge, le casse-tête des pourboires ou la question de savoir qui saurait conquérir, en fin de compte, le cœur de l'impénétrable John.

Ou encore la question de savoir qui remporterait la « cagnotte Tantine ». (Le concours de pronostics en question avait désormais largement dépassé le cadre de la discothèque-dancing, et d'autres parieurs y étaient allés de leur petite mise, parmi lesquels l'opérateur radio.)

Il y eut encore deux câbles en provenance de Tante Yvonne.

Le premier disait : MOTS CAPITAUX EN ITALIEN : « PIACERE » ET « GRAZIE ».

Après ce câble-là, les parieurs en faveur du « non » se retrouvèrent à égalité avec les partisans du « oui ».

Et Maggie s'exerça à prononcer *per piacere* – « père pia-tché-ré » –, qui signifie « s'il vous plaît » (en espérant ne jamais en avoir besoin de toute urgence, car il lui fallait un certain temps pour placer sa langue correctement), et *grazie* – « gra-dzié » –, qui signifie « merci ».

Le second message était en quelque sorte un post-scriptum du premier. Il disait simplement : AUTRE MOT CLÉ : « SCUSI* ».

Il n'y avait plus de doute possible : Maggie, voyageuse au long cours, était bel et bien devenue une célébrité du bord, condition dont elle s'accommodait avec un certain plaisir, en dépit de ses tourments. Au fond, tant qu'à souffrir, n'est-ce pas, il faut bien reconnaître qu'il est plus facile d'endurer la souffrance lorsqu'elle vous met en vedette et que les gens vous demandent des autographes...

A dire la vérité, d'ailleurs, ses inquiétudes ne la tenaillaient pas au point de ne pas la lâcher une seule minute, à toute heure du jour et de la nuit. Il y avait beaucoup trop à faire sur ce bateau.

Guetter les baleines et les marsouins, par exemple.

La veille supposée de l'escale à Lisbonne, Maggie, Jasper et Mme Stone étaient tous trois, de bon matin, postés quelque part sur un pont à l'avant du bateau, lorsque Jasper repéra, au loin, des sortes

* Scusi = Excusez-moi.

de petits jets d'eau jaillissant au ras de l'océan. C'est même à l'œil nu qu'il les aperçut. Maggie et lui, justement, se passaient à tour de rôle les jumelles de Mme Stone (qui les reprenait parfois elle aussi), lorsque Jasper se mit à hurler :
– J'en vois une ! Là ! Je la vois qui souffle ! Elle souffle ! Là ! Là ! Là !

Et pour souffler, certes, ça soufflait : car ce n'était pas *une* baleine, mais tout un troupeau, tout un banc de baleines croisant vers le sud, et rejetant à qui mieux mieux par leurs évents des quantités de petits geysers. C'était une vision grandiose, la même probablement qu'Ishmaël avait eue depuis le pont du *Pequod,* dans *Moby Dick;* et Jasper retirant son chapeau l'agita en guise de salut.
– « Ouais, ouais, Tashtego*, où ça donc ? » mima Mme Stone, entrant dans le jeu.

Jasper s'arracha une seconde au spectacle des baleines pour se tourner vers Mme Stone et l'approuver gravement du menton. Puis, revenant à sa contemplation des baleines, il cita à son tour :

* Tashtego : personnage de Moby Dick.

– « A deux milles d'ici, sous le vent! Il y en a tout un banc! »

Puis ils se turent et suivirent le spectacle en silence, oubliant tout le reste, et se passant tour à tour les jumelles sans un mot.

Quand les baleines furent hors de vue ou presque, Mme Stone murmura, pensive :
– « Les inoffensifs requins pèlerins glissaient et s'éloignaient au loin... » Te souviens-tu de la suite, Jasper?

Jasper la connaissait par cœur :
– « ... des cadenas aux mandibules; les grands labbes croisaient, farouches, le bec en fourreau d'épée... »

Alors Maggie, le cœur palpitant encore du passage des baleines, se fit la promesse intérieure de lire enfin *Moby Dick* – même s'il s'agissait de l'un de ces grands classiques que son père, avec un peu trop d'insistance et de diplomatie sans doute, lui avait vivement suggéré de lire, ces temps derniers.

Un peu plus tard, ce même jour, ce fut un banc de marsouins qui leur fit un brin de conduite. Noirs et luisants dans les rayons du couchant, leurs corps souples s'arc-boutaient pour entrer dans l'eau et en ressortir aussitôt, dessus, dessous, dessus, dessous, tendus dans une course folle, comme s'ils s'acheminaient vers quelque rendez-vous pressant.

– J'aimerais bien savoir, murmura soudain Jasper, s'ils ont ou non des regrets...

– Des regrets ? Pourquoi ? s'étonna Maggie.

– Pour être revenus à la mer, finalement. Tu sais, d'abord, ils vivaient dans la mer – pour les baleines, c'est la même chose – et puis, un jour, ils sont venus à terre, ils sont devenus amphibies... Et voilà, maintenant, ils sont revenus au milieu dont ils étaient sortis, la mer...

– Crois-tu qu'ils aient peur de nous ? souffla Maggie.

– Oui, j'imagine. Toutes les créatures sauvages ont plus ou moins peur de nous – dans la jungle, dans les montagnes, dans les déserts, dans la mer, et... (Il avait ravalé curieusement ce qu'il voulait dire.) Mais les marsouins, eux, ils n'ont peur de rien.

– En ce cas, j'aimerais bien être un marsouin, fit observer Maggie. (Même s'il faut renoncer à être Barbara Streisand*, songeait-elle.)

* Barbra Streisand : actrice américaine.

– Oui, moi aussi, avoua Jasper.
– Mais toi, tu n'as pas peur de grand-chose!
– C'est ce que tu crois, conclut-il.

Dans la rubrique « désagréments » figurait M. Dumont.

En fait, c'était même un fléau. Sa fameuse partie de jeu de galets, il avait réussi à l'obtenir, l'affreux casse-pieds! Et il n'avait rien trouvé de mieux, tout scintillements et clins d'œil, que de laisser Maggie gagner, si ostensiblement que c'en était gênant pour tout le monde. Là-dessus, sur l'incertaine présence de Tante Yvonne à Gênes, il n'arrêtait pas, sottement, de revenir à l'assaut sans cesse, garantissant une heureuse fin – comme s'il ne tenait qu'à lui :
– Mais si, mais si, elle sera là! Crois-moi. A mon âge, on en sait des choses!

Ce soir-là (la veille de l'escale à Lisbonne), il aborda doucereusement Maggie pour lui demander une petite faveur. A la seconde où elle sortait de la salle à manger, il était là, sur ses talons.
– Alors, demoiselle, a-t-on décidé d'aller rendre une petite visite à cette belle ville de Lisbonne, demain?

Maggie sentit son cœur manquer une marche. Jasper et elle s'étaient inscrits pour la visite guidée de la ville, le lendemain. Les billets étaient achetés, les formalités effectuées – Maggie avait récupéré son passeport. (La mère de Jasper avait rappelé. Elle voulait savoir comment diable son fils s'en sortait, sur le plan vestimentaire. Au cours de cette conversation ruineuse, ses parents avaient tenu à confirmer à Jasper qu'ils n'éprouvaient à son endroit nulle rancune, rien qu'un terrible chagrin. Et en gage de leur bonne foi, ils l'avaient autorisé à visiter Lisbonne. Ce qui n'était pas si simple : il leur avait fallu s'arranger pour lui procurer un document attestant de sa citoyenneté américaine. Quant au prix de cette visite guidée, elle était encore dans les possibilités de Jasper; il avait entièrement vidé, en vue de sa fugue européenne, une tirelire d'ailleurs bien garnie.) Tout était donc fin prêt pour l'escapade touristique sur la terre portugaise. Oui, mais quel gâchis, s'il allait falloir supporter tout du long ce cher, cher M. Dumont!

Maggie répondit d'un vague hochement de tête.

– Ah! Lisbonne! Une ville splendide! Ne manquez surtout pas le musée des Carrosses royaux – une merveille, la visite idéale pour des jeunes comme vous! Et puis, pour les gourmands et gourmets, rien d'aussi exquis que la pâtisserie portugaise! Sans compter...

Il s'était tu soudain, comme frappé d'une inspiration subite. Il fit claquer ses doigts.

– Mais! Mais il me vient une idée! Maggie, tout à fait par hasard, serais-tu prête à rendre un petit service au pauvre vieillard misérable et souffreteux que je suis? Un tout petit service?

M. Dumont n'avait l'air ni pauvre ni misérable dans son blazer bien coupé et sa chemise à la mode ornée d'une élégante cravate; vieux, il ne l'était pas vraiment, il n'avait pas assez de rides; quant à paraître souffreteux, avec son teint hâlé et ses yeux étincelants, voilà qui lui était difficile.

Il entreprit de s'expliquer sur un ton persuasif :

– Ce qu'il y a, vois-tu, c'est qu'on vit trop bien, sur ce bateau; on mange et on boit beaucoup trop. Résultat (il indiquait son pied) : un petit accès de goutte! Oh! rien de bien méchant encore, mais comme on dit, mieux vaut prévenir que guérir. Si bien que j'ai décidé, si je ne veux pas voir le mal empirer, de m'abstenir pour cette fois-ci, et de faire l'impasse sur l'escale à Lisbonne... Alors... Serais-tu assez gentille pour me rendre ce petit service? Il s'agit tout juste d'aller chercher un petit quelque chose à ma place.

– Oui, quoi? demanda Maggie, d'une voix aussi rogue que possible.

– Oh! rien qu'une simple enveloppe. De simples papiers d'affaires. Les affaires, toujours les affaires... Tu n'aurais qu'à la ranger dans ton grand beau sac, et c'est tout. C'est aussi simple que cela.

– Oui, mais où aller la chercher, cette enveloppe? Je me vois mal me balader toute seule dans Lisbonne, moi!

M. Dumont prit un air choqué.

– Te balader toute seule dans Lisbonne? Crois-tu que j'y songerais un seul instant? Ce bon vieux Dumont n'est tout de même pas fou à ce point! Mais non, mais non. Une jeune dame – la secrétaire de mon associé – viendra elle-même te la remettre en main propre, au pied de votre car de touristes, là où vous ferez halte pour les boissons et rafraîchissements. C'est à trois pas des bureaux en question, justement.

– Et... comment me reconnaîtra-t-elle?

Il s'inclina, l'air enjoué.

– Excellente question. Je vais devoir téléphoner à mon associé. Et lui fournir ta description détaillée, charmante demoiselle, jusqu'à la plus petite tache de rousseur sur le bout de ton nez adorable... Alors, affaire conclue?

Maggie eut un haussement d'épaules.

– Bof... J'imagine.

– Bravo, ça c'est gentil! Et ne t'en fais surtout pas. Si jamais le rendez-vous est manqué, ne va pas te tracasser. *C'est la vie!* Une expression française, vois-tu, qui signifie que rien n'est perdu, qu'il y aura bien une autre rame de métro plus tard.

Ayant accordé par avance à M. Dumont ce petit service, Maggie s'empressa de l'oublier.

Tante Yvonne n'avait plus rien câblé. Ce silence était plus inquiétant encore que la série de télégrammes des jours précédents, et Maggie comptait bien que la voyageuse au long cours serait à la hauteur de la situation, si celle-ci devait se révéler redoutable; parce que pour sa part, elle, Maggie tout court, ne s'y sentait toujours pas prête.

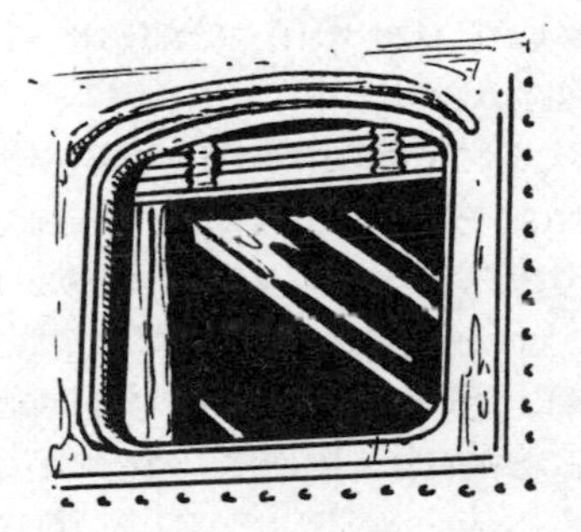

Chapitre 10

Après quelques milliers de kilomètres en mer, nul besoin d'être Christophe Colomb découvrant l'Amérique pour se sentir un rien ému à la vue de la terre ferme.

Ainsi aperçue de très loin, depuis le large, la terre aurait d'abord pu n'être rien d'autre qu'une sorte de nuage au ras de l'horizon; puis le nuage se changea en une espèce de brume, une brume qui se teintait de vert : la terre, la terre ferme! Et un continent inconnu.

« Maggie va nous donner à présent sa première impression de l'Europe », susurrait en contrepoint Miss Hinkley.

– Nom d'une pipe! Mais c'est l'Europe! réalisa bruyamment Maggie lorsque s'imposa pour de bon cette masse barrant l'horizon, la toute première manifestation concrète de ce qui n'avait été jusqu'alors qu'une abstraction sur les cartes – des cartes en général grossièrement esquissées par Maggie, l'écolière, et censées représenter un monde de légendes, avec des rois, des reines, toute une histoire sanglante, celle de ses propres ancêtres en des temps reculés.

Pour son entrée dans le port, le *Toscana* hissa bien haut le pavillon jaune, certifiant que nul à bord n'était atteint de maladie contagieuse (ni peste, ni choléra, ni oreillons, ni fièvre jaune), ainsi que le pavillon à rayures verticales bleues et jaunes réclamant l'assistance d'un pilote.

Peu après, la vedette amenant le pilote se dirigea droit vers eux, et tout le monde le regarda s'introduire à bord par la petite porte au ras de l'eau, au bas de la coque. Et sous sa direction, le bateau s'engagea dans le vaste estuaire menant à Lisbonne. Plus loin, là-bas, au cœur de la ville, sinuait le Tage, naguère encore symbole même d'une gloire à présent révolue.

Lentement, silencieusement, semblable à un vaisseau royal, le grand bateau blanc remonta le fleuve, saluant au passage la tour de Belem, gardienne du Tage, dont les remparts et les tourelles semblaient jaillir des eaux, comme si la forteresse avait été bâtie par quelque créature aquatique. Lentement, silencieusement, ils longèrent le Monument de la Découverte, qui représente Henri le Navigateur à la proue de quelque nef, scrutant l'inconnu d'un monde jamais vu, tandis que se cachent derrière lui, l'air inquiet, dans l'expectative, plusieurs de ses compatriotes.

Enfin, peu après, s'étageant sur les rives du fleuve en taches vivement colorées, la ville de Lisbonne s'offrit à leurs regards.

Comme ils entraient dans le port, ils se sentirent peu à peu envelopper par une étrange chaleur moite. Rien à voir, non, vraiment rien, avec la sèche canicule des après-midi d'été, à Tilton, de ces heures que l'on passait à paresser sous une pergola, ou dans l'eau de quelque baignade, ou encore à cueillir des baies en prenant sagement tout son temps. Non, cette chaleur moite respirait la romance et l'intrigue, et vous susurrait à mi-voix qu'ici devaient grouiller les espions internationaux et les trafiquants de bijoux – du moins, telle était l'impression de Maggie.

Mme Stone sortit de la cabine, tout de blanc vêtue : panama blanc sur la tête (vieux de trente ans, disait-elle, et meilleur que jamais), robe de cotonnade blanche et espadrilles à semelle de corde (ces fameux pavés de mosaïque étaient, disait-elle, traîtres au pied). Une ombrelle noire, pour se protéger du soleil, complétait sa tenue. Pour cette escale portugaise, elle aussi descendait à terre, mais elle irait seule, de son côté. A la recherche de souvenirs du bon vieux temps, précisa-t-elle, le sourire absent : un petit restaurant où l'on servait jadis un certain crabe en sauce dont elle avait gardé un souvenir impérissable; le château Saint-Georges, d'où l'on avait sur tout Lisbonne la plus belle vue possible, et sur les pelouses duquel criaillaient des paons blancs; une certaine promenade au cœur de la vieille ville, un certain banc sous un certain arbre... « Mais qu'est-ce que je raconte là? Tout cela n'intéresse personne... »

Elle souhaita à Jasper et à Maggie de se faire de leur côté d'excellents souvenirs à chérir à jamais, et s'en fut résolument, à longues enjambées.

Ses premiers pas sur la terre ferme déroutèrent totalement Maggie. Ils lui parurent délicieux, aussi. C'était un peu comme la case « Arrivée », au jeu de l'oie.

Les autocars qui les attendaient pour la visite guidée arboraient de pimpants rideaux verts. C'étaient des véhicules de dimensions plus modestes que leurs homologues des Etats-Unis, et leur aspect d'ensemble offrait juste ce qu'il fallait d'exotisme de bon ton. Le guide était un petit bonhomme au teint sombre, dont l'élocution devenait pratiquement inintelligible dès l'instant où il parlait dans son micro. Il récitait chaque couplet de son commentaire à deux reprises, d'abord en anglais, puis en italien. (Manifestement, c'était un boniment qui avait déjà beaucoup servi.) Peu lui importait d'être interrompu, et peu lui importait la contradiction. Comme il venait d'affirmer, par exemple, que les températures, en juin, oscillaient entre dix-huit degrés centigrades (« une douce et délicieuse tiédeur ») et vingt-sept degrés centigrades (« merveilleusement rafraîchis par la brise »), il ne broncha pas le moins du monde quand une énorme dame, qui transpirait à grosses gouttes, lui demanda comment il se faisait qu'aujourd'hui le thermomètre indiquait certainement au moins quarante à l'ombre. Il fit semblant de n'avoir pas entendu. Pourtant, la réponse à cette question devint bientôt, pour bon nombre de passagers, plus préoccupante que la question de savoir comment s'appelait telle avenue ou tel monument grandiose. Pour faire dévier les conversations, il tripota son micro qui se mit à hurler si fort qu'un grand cri unanime s'éleva pour le prier de le régler plus bas.

Ainsi donc, ces maisons, ces rues, c'était Lisbonne (Portugal). Lisbonne que Maggie découvrait en direct, et sans popcorn à la main. Elle se pinça légèrement – sait-on jamais? Mais non, elle ne rêvait pas. Elle, Maggie, de Tilton (Iowa), était bel et bien, pour de bon, en train de parcourir la fameuse cité étrangère. Pardessus le marché, détail on ne peut plus surprenant, elle n'avait pas au cœur la plus petite inquiétude. Elle se sentait en sécurité et faisait preuve d'un sang-froid exemplaire... pour le moment. Elle était d'ailleurs prête à reconnaître qu'avec Jasper sur le siège d'à côté et une pleine voiturée de compagnons de croisière – des têtes connues, désormais – il n'y avait pas là grand miracle. Malgré tout, avec son imagination galopante, elle aurait bien été capable d'imaginer quelque chose, n'est-ce pas? A l'instant même, par exemple, le guide venait d'évoquer l'abominable tremblement de terre de 1755; elle aurait fort bien pu aller s'affoler à l'idée qu'un nouveau séisme risquait de survenir d'une seconde à l'autre, non? Mais non, bien au contraire, elle se laissait aller à savourer le plaisir de promener son regard sur ces maisons d'albums à colorier, roses, blanches, jaunes ou vertes, avec des balcons débordants de fleurs et de cages à oiseaux, et du linge à sécher flottant aux fenêtres. Les larges avenues, revêtues de pavés mariant le noir et le blanc, luisaient sous l'éclatant soleil. Et ces palmiers, ces orangers! Et ces châteaux et ces tourelles! Et ces ombrelles rayées de blanc et de noir, protégeant du soleil les agents de la circulation! Et encore, là-bas, près du fleuve, ces femmes portant sur la tête des corbeilles remplies de poisson – et qui n'en laissaient rien tomber! Partout, de tous côtés, il y avait quelque chose à voir.

Pas mal du tout, Tante Yvonne! Visiter une ville inconnue, ça n'a rien de détestable!

Dans le Jardin botanique, qu'ils visitèrent au pas de course, une dame du New Jersey, détournant un instant l'objectif de son appareil des fleurs et des fruits exotiques venus des jungles du Brésil et de l'Angola, pria Maggie et Jasper de la laisser tirer leur portrait. Elle voulait pouvoir montrer à ses amis du club horticole, en plus de ces curiosités que sont l'arbre à pain et le goyavier, à quoi ressemblent aussi un passager clandestin et une mineure non accompagnée...

Dans un musée à faire rêver, plein de carrosses de contes de fées, tout ornés de dorures, sculptés, travaillés, garnis de brocarts et de velours, ce fut une dame de Floride qui prit leur photographie, assis côte à côte sur l'une de ces banquettes. Elle leur aurait voulu l'allure douce et princière. Elle fut déçue; ils eurent le fou rire tous les deux.

Dans une boutique de souvenirs, remplie jusqu'au plafond de poteries portugaises, de vanneries et autres produits de l'artisanat local, la marchande les pressa en vain de faire l'emplette d'un rectangle de tissage, qui devait servir, d'après elle, à recouvrir un mulet ou un âne. Ils déclinèrent poliment son offre en s'efforçant de lui faire comprendre qu'ils ne possédaient ni l'un ni l'autre pareil animal.

A la vérité, étant donné qu'ils ne s'étaient autorisés à prendre, en matière d'argent de poche, qu'un unique dollar pour deux – plus exactement vingt-huit *escudos* –, ils ne pouvaient guère s'offrir davantage qu'une bouteille de coca-cola (cette boisson portugaise réputée...), plus une ou deux cartes postales.

Cet achat de cartes postales fut un vrai casse-tête pour Maggie. Il y en avait tant et tant entre lesquelles choisir! Elle fixa son choix, tout d'abord, sur une vue de la tour de Belem : c'était à son avis celle qui dépaysait le plus, celle qui rappellerait le mieux à toute la famille combien elle était loin; mais pour finir elle l'échangea contre un portrait de Notre-Dame des Voyageurs : cette image lui semblait, en définitive, plus propre à rasséréner sa mère.

Au dos, elle griffonna ces mots : « Lisbonne fantastique. Mangé de l'anguille. Partage cabine avec vieille dame formidable. Rencontré enfants de mon âge, dont garçon. Eu tempête. Pas le temps écrire plus. Vous embrasse tous. Maggie. PS : une caresse pour Boy. »

Pour Jasper, les choses se présentaient différemment. Il estimait qu'un ex-fugueur-passager clandestin n'était pas censé envoyer aux siens des messages de tendresse, surtout quand il n'éprouvait aucune tendresse vis-à-vis d'une bande de cracks le traitant de minable. Maggie lui suggéra pourtant qu'une carte représentant Henri le Navigateur ne serait sans doute pas une mauvaise idée.

– Tu comprends, peut-être qu'ils se diront, en le voyant, qu'après tout tu appartiens sans doute à la même race de gens qu'Henri le Navigateur.

Mais Jasper secoua la tête.

– On voit bien que tu ne les connais pas. Tu sais ce qu'ils diraient, en voyant ça? « Bah! ce genre de découverte, au fond, qu'est-ce que ça nous rapporte? Des sardines et un peu de porto, voilà tout! Pas de quoi faire un plat! » Voilà ce qu'ils diraient. Ils sont comme ça, tu sais.

Jasper n'acheta pas de carte postale.

De basilique d'Estrela en Musée militaire, de cathédrale romane en ruines d'un couvent de carmélites, le guide balada sa petite cargaison à travers tout Lisbonne, dans une chaleur de plus en plus accablante. Vint enfin, par bonheur, l'heure des rafraîchissements, la halte à la terrasse d'un café. Ce fut une ruée au comptoir et autour des tables. Jasper et Maggie attendirent sagement leur tour, non pas tellement par politesse, mais parce qu'ils n'arrivaient pas à se décider entre un bon vieux coca-cola et une boisson au citron à l'aspect inconnu. Le coca-cola l'emporta, et ils étaient en train de se débattre pour arriver à régler l'addition auprès d'un serveur qui ne parlait pas un mot d'anglais, lorsqu'une voix doucement demanda :

– Puis-je vous être utile, s'il vous plaît?

C'était la voix d'une jeune fille, jolie, qui leur souriait gentiment.

Et, par un bref échange en portugais avec le serveur, elle vint très vite à bout de la difficile transaction.

Cela fait, elle se tourna en souriant vers Maggie :

BAR
BAR

– Et toi, certainement, tu es Maggie, n'est-ce pas?

Maggie en fut prise de court. La visite de Lisbonne l'avait tellement captivée qu'elle en avait totalement oublié M. Dumont et son petit service. (Elle en avait presque oublié qu'elle était en effet Maggie.)

– Euh... oui, je suis Maggie, reconnut-elle.

– Alors je vais te transmettre les papiers pour M. Dumont, d'accord?

Et d'un vaste sac fantaisie la jeune fille tira une enveloppe grand format, en papier bulle, de type classique.

– Ceci peut-il aller dans ton sac?

– Je ne sais pas. C'est un peu bourré, mais je vais essayer.

Elles se retirèrent légèrement à l'écart de la foule. Jasper et la jeune fille suivirent des yeux, avec un intérêt manifeste, toute l'opération à laquelle dut se livrer Maggie pour faire de la place dans son sac. (Les transatlantiques n'étant finalement pas l'endroit idéal pour mâchonner du chewing-gum, le précieux paquet était toujours là, s'offrant une fois de plus aux regards de tous.) L'enveloppe étant plutôt raide, elle finit par trouver place contre l'une des parois du sac.

– Voilà, sourit la commissionnaire, satisfaite. En sécurité. Le patron a dit : « Papiers très très importants. » (Elle haussa les épaules, l'air de dire : « Moi, vous savez... ») Comment dit-on, déjà? Ah oui! Affaire capitale, c'est ça? Tu donneras à M. Dumont, d'accord?

– Promis.

La jeune fille s'attarda quelques minutes avec eux, à bavarder, leur demandant ce qu'ils avaient vu de Lisbonne, ce qu'ils avaient apprécié, puis elle les quitta sur un dernier sourire amical, sans omettre les recommandations d'usage sur ces papiers très, très importants.

– « Papiers très très importants », pouah! Les papiers importants de mon père, j'en ai soupé, je peux te le dire. « Tous les papiers sont importants en affaires pour qui prend ses affaires à cœur. » Encore l'une des grandes maximes de mon père. J'ai un père qui s'exprime par maximes.

– Jasper, écoute...

– Quoi? (Il avait les yeux qui étincelaient dangereusement.) Oui, je sais. Mais je voudrais l'aimer, figure-toi. Alors, boucle-la!

Le guide justement aboyait qu'il était

temps de repartir. C'était au moins l'un des avantages des visites guidées, se dit Maggie : à se faire ainsi convoyer de place en place, sans prendre le temps de souffler, on ne risquait guère, au moins, de trouver le temps de se laisser aller à des pensées désabusées.

Mettre le pied sur le bateau, curieusement, vous avait à présent comme un parfum de retour à la bergerie. L'officier (tout sourires) qui se tenait au pied de la passerelle pour reprendre les passeports des passagers descendus à terre salua Maggie au passage d'un cordial « *Benvenuto, signorina Maggie!* » Cela voulait dire « bienvenue », expliqua-t-il.

Puis ce fut, au salon-fumoir, le grand remue-ménage des soirs d'escale : il y régnait l'atmosphère des retours de vacances, à l'école. Chacun s'extasiait sur les emplettes d'autrui et présentait fièrement les siennes à l'admiration (sincère ou bien imitée) de toute l'assistance; c'était à qui aurait fait la meilleure affaire... Contournant prudemment la mêlée générale, M. Dumont s'approcha en boitillant.

– Alors... mission accomplie? demanda-t-il doucement, plus clignotant que jamais – encore qu'avec un soupçon d'inquiétude dans la voix, peut-être?

– Ouais, répondit Maggie sans le moindre effort d'amabilité.

Et elle extirpa l'enveloppe de son sac.

– Parfait, dit M. Dumont en feignant par jeu, pour happer cette enveloppe, unc sécheresse toute militaire.

Après quoi il se lança dans des remerciements sans fin, tout à fait disproportionnés avec le service rendu.

Cette formalité remplie, Jasper et Maggie se ruèrent vers la passerelle, afin d'être sûrs d'y trouver une place au moment de quitter le quai. Le départ s'effectua, à peu de chose près, selon le même rituel qu'au départ du port de New York – les talkies-walkies entrèrent dans la danse, les passerelles furent écartées et roulées au loin, sur le quai, les amarres remontées le long du flanc du bateau, et ainsi de suite... Mais ce départ de Lisbonne, dans les derniers rayons d'un couchant qu'on aurait pu croire offert par l'Office du tourisme portugais, avait quelque chose de plus gai, de plus humain que celui du port de New York.

Et bientôt ils se retrouvèrent sur le Tage, qu'ils descendaient à présent, et passèrent de nouveau devant la tour de Belem. Le pilote les quitta à la sortie de l'estuaire, et le bateau repartit droit vers le sud, vers le détroit de Gibraltar et la Méditerranée – une mer qui semblait à Maggie, si l'on en croyait les cartes, autrement plus confortable et tranquille que l'océan Atlantique.

La journée avait été belle, et Maggie se sentait devenir une voyageuse aguerrie. N'avait-elle pas mis le pied sur la terre portugaise, et n'en était-elle pas revenue saine et sauve ?

Toujours pas de câble de Tante Yvonne pour cette journée. A l'instigation de John, et « pour des raisons de simple humanité », il avait été convenu que désormais Maggie devait ignorer où en étaient les pronostics autour de la « cagnotte Tantine ». Mais quelque chose lui disait, ce soir, que la majorité des parieurs se tournait vers l'hypothèse « pas de Tante Yvonne à Gênes ».

Mme Stone, pour sa part, estimait que cette absence de câble n'avait aucune signification déchiffrable : Tante Yvonne pouvait parfaitement s'être trouvée à court de conseils à donner, ou à court d'argent pour les expédier; ou les deux à la fois, peut-être?

Ce qui n'empêcha pas Maggie, voyageuse au long cours, de se plonger ce soir-là plus longuement que d'ordinaire dans son petit manuel d'italien. Elle apprit à dire *polizia!* qui signifie « police » et se prononce « po-li-dzia », ainsi que quelques courtes phrases utiles, du style « J'ai perdu mon passeport » ou « J'ai manqué mon train ». Elle était si préoccupée qu'elle avait entrepris de retenir les phrases signifiant « Je ne retrouve plus ma femme » et « Je ne retrouve plus mon mari », lorsqu'elle se souvint qu'elle ne possédait ni l'un ni l'autre.

Maggie, voyageuse au long cours, passa aussi quelque temps, ce soir-là, à contempler dans le miroir du lavabo le reflet de son sourire. Etait-il vrai qu'il pouvait opérer des miracles, ce sourire-là? Sa mère l'affirmait sans hésiter. Mais Maggie n'en était pas si sûre; il lui suggérait plutôt le sourire désespéré, pathétique d'une voyageuse portée disparue.

Chapitre 11

Le lendemain, ils franchirent le détroit de Gibraltar et – incroyable mais vrai ! – aperçurent au loin, mystérieuses et lointaines, les côtes de l'Afrique. (« L'Afrique ! Bonté divine ! Dire que j'ai *vu* l'Afrique ! ») Léger frisson à l'idée que là-bas, à l'instant même, derrière les rivages que battaient ces eaux mêmes, des Berbères, des Kabyles, des Bantous, des millions d'autres êtres lointains, inconnus, impénétrables, vaquaient à leurs occupations quotidiennes, accomplissaient des gestes qu'à Tilton (Iowa) on n'imaginait guère.

Sitôt le *Toscana* officiellement entré dans les eaux de la Méditerranée, la vie à bord redoubla d'entrain et de frénésie. Plus que trois jours avant Gênes et la fin de la traversée – plus que trois jours, même, pour ceux qui débarqueraient à Naples! Chacun avait à cœur d'en tirer le maximum de plaisir et mettait les bouchées doubles.

Dans cette course contre la montre, Jasper, Maggie et leurs camarades étaient peut-être les plus endiablés. Lorsqu'ils ne galopaient pas d'un jeu à l'autre, ils étaient alignés sur le rebord de la piscine, dans leur angle favori. Lorsqu'ils n'étaient pas sur le rebord de la piscine, ils étaient dedans. Lorsqu'ils n'étaient ni dans la piscine, ni sur son rebord, ni à quelque partie de ping-pong ou de galets, ils étaient au spectacle – le spectacle inédit (exclusif au *Toscana*) des petits flirts de croisière et de leur évolution au jour le jour.

Pour ce spectacle, le mieux était de se poster quelque part sur le pont où se trouvait le chenil. C'était là, le plus souvent, que se tenait Alice, en compagnie de son bon gros Flaherty. La maîtresse et le chien avaient désormais à peu près le pied marin, et Flaherty, bon prince, tolérait avec indulgence l'insatiable curiosité de quatre terriers du Yorkshire et de deux caniches nains, et la jalousie maladive d'un berger allemand.

Ce secteur du bateau était devenu du coup le quartier général d'une petite bande de « jeunes adultes », parmi lesquels John, Peter et Doris, entre autres. Traînant par là aux mêmes heures, tout à fait par hasard, la bande des plus jeunes (Maggie, Jasper, Bettina et consorts) passait aussi d'excellents moments. Car il n'y avait pas seulement là l'occasion d'étudier comment évoluent (sans grands coups de théâtre) les petits flirts de croisière; en laissant traîner les oreilles, on pouvait capter d'intéressantes informations sur des quantités de sujets – sur Dieu, sur les régimes macrobiotiques, les communautés et les sectes, la pollution, la culture biologique, l'abandon des études, l'exploitation de l'homme par l'homme et les poupées Barbie... Bettina et Kenneth affirmaient que l'on pouvait entendre débattre des mêmes sujets à Rome, sur les escaliers de la Piazza di Spagna. Ils étaient les seuls à avoir entendu de vive voix aborder tous ces sujets, mais Jasper avait déjà lu des quantités d'articles là-dessus.

Bettina estimait tout cela bien décevant; sur un bateau, d'après elle, on devait pouvoir assister à des passions autrement enflammées. Il y avait beaucoup trop de parlote, à son avis, et pas assez de regards rêveurs en direction de la mer. Mais les autres notaient avec satisfaction que c'était avec Alice que John discutait le plus.

Et tandis qu'ils naviguaient ainsi sur les eaux bleues de la Méditerranée, sous un ciel bleu outremer le jour et bleu de Prusse la nuit, tout piqueté d'étoiles jusqu'au ras de l'horizon, Maggie se faisait la réflexion qu'elle n'avait jamais, peut-être, été aussi heureuse de sa vie.

Jusqu'au moment où elle réalisa que c'était encore un jour et une nuit sans la moindre nouvelle en provenance de Tante Yvonne.

Jasper et Maggie adoraient ces premières heures du jour, là-haut, sur leur poste de guet; la mer et le bateau leur appartenaient à eux seuls.

L'aurore de ce deuxième jour en Méditerranée faisait danser sur la mer des multitudes de reflets d'or pâle.

Mais tout à coup, dans cet or pâle, jaillirent par milliers d'étranges petits croissants argentés, étincelant dans le soleil du matin.

– Hé! Des poissons volants! cria Jasper.

C'était un plaisir que de les voir sauter.

– Mais comment peuvent-ils sauter comme ça, ces drôles de poissons-sauterelles? voulait savoir Maggie.

– Ils ont des nageoires un peu comme des ailes, et ils prennent leur élan d'un coup de queue, expliqua Jasper.

– Pas bête, hein?

Ils contemplèrent ce spectacle, captivés, jusqu'à la disparition complète du dernier poisson volant, mais presque aussitôt, dans le lointain, se profilait déjà du nouveau. Sur l'horizon immense et clair, se détachait peu à peu une étrange masse, en forme de chameau accroupi.

– A ton avis : ce sont des nuages ou des terres? demanda Maggie à Jasper.

– Plutôt des terres ; les Baléares, peut-être. Ibiza, Majorque...

– Je ne suis jamais allée sur une île.

– Mais si : Manhattan. C'est de là que nous sommes partis, tu l'as déjà oublié?

– Je n'ai fait que la traverser, ça ne compte pas.

– Moi je voudrais bien vivre sur une île, une toute petite, si petite qu'on pourrait voir l'eau, depuis une colline, de tous les côtés à la fois. Une île grecque – il y en a des tas.

– Et si tu étais bloqué par une tempête?

– Comment ça, bloqué? Pourquoi voudrais-tu que j'aie envie de quitter mon île?

– Je ne sais pas. (Elle rit.) Tu pourrais avoir envie d'un coca-cola, par exemple. (Elle redevint sérieuse.) Non, mais imagine que tu sois malade, ou que tu aies envie de bavarder un peu avec un ami, par exemple... Très très envie de bavarder, tout d'un coup...

Sans détacher son regard de l'horizon, Jasper demanda soudain :

– Bien franchement, Maggie, tu me trouves bizarre ou pas?

Il y avait dans sa voix quelque chose d'étrangement pressant. La Maggie de Tilton (Iowa) aurait peut-être tenté d'éluder la question par une réponse évasive, avec cette « franchise hypocrite » dont elle usait à l'égard de ses meilleures amies. Mais cette Maggie-là, la Maggie de la haute mer, préféra la franchise authentique.

– Bizarre, oui. Mais d'une bizarrerie sympathique.

– Sympathique?
– Mais oui, parfaitement. Tu sais, Jasper, ce n'est pas parce que ta famille te traite comme un affreux jojo que tu en es un forcément; et tu ferais bien, je t'assure, d'arrêter de te prendre pour un affreux jojo toi-même.
– Ho! ho! ho! là je t'arrête; si tu crois que c'est facile, toi!
– Non. Je ne crois pas que ce soit facile, figure-toi. Et si tu veux savoir, ce n'est pas souvent que je dis les choses tout cru, comme ça. D'habitude, je les arrange un peu, pour ne pas faire de peine. A ton avis, c'est un effet du voyage, ça? Tu crois que c'est parce que je commence à « élargir mes horizons »?
– Ché pas. Peut-être.
– Merci.

Ils ne détachaient pas leur regard de cette drôle de forme de chameau qui pouvait être (ou ne pas être) l'une des îles Baléares.
– Maman assure qu'on peut aimer quelqu'un sans réellement l'apprécier, dit tout à coup Maggie, sans savoir au juste ce que cette remarque venait faire dans la conversation, ni où elle allait mener.

– Drôle d'idée. Je ne vois pas comment.
– Par exemple, poursuivit Maggie qui tenait à cette idée, elle dit qu'elle aime ma tante Harriet, alors que pourtant elle la trouve abominablement casse-pieds et que, si on lui avait demandé son avis, elle ne l'aurait sûrement pas choisie pour sœur. Ma tante Harriet, tu vois, elle est du genre à dire qu'une femme mariée, mère de famille, ne devrait pas jouer au poker, que ça ne se fait pas. Ma tante Harriet, elle veut absolument que tout le monde soit bien-comme-il-faut, les maris surtout. N'empêche, le jour où maman a bien cru qu'elle allait mourir, parce qu'elle avait mangé par erreur un peu de la pâtée de Boy (Boy, c'est notre chien), devine qui elle voulait avoir auprès d'elle de toute urgence?
– Cette casse-pieds de Tante Harriet.
– Tout juste.
– Et tu crois que c'est ça, aimer?
– C'est l'avis de maman. Et elle dit qu'un jour, quand je serai grande, je comprendrai ça très bien. Elle dit que ce genre d'amour est aussi essentiel et vital que le pain, qu'il est profondément ancré en nous et qu'il se passe d'explications. Voilà.

– A ton avis, ta mère t'apprécie? demanda Jasper.
– Oui. Je crois. Quand je ne lui mets pas les nerfs en boule.
– Et toi, tu l'apprécies?
– Mmm. Je crois. Quand elle ne me met pas les nerfs en boule.
– Ouais. Eh bien, pour moi, la vérité vraie, c'est que ma mère ne m'apprécie pas. Elle n'aime pas ce que je suis, si tu préfères, et moi je n'aime pas ce qu'elle est. C'est peut-être une « femme de grand bon sens », comme on dit, mais quand il s'agit de moi elle est idiote.
– Comment ça?
– Elle se bute; elle n'essaie même pas de comprendre. Elle ne comprend rien à rien, même pas un mot de ce que je dis. Autant m'adresser à mon édredon.
– Tu es sûr? Ta propre mère? Ecoute, donne-moi un exemple.
– Bon. Mettons que je lui dise, comme ça, en passant : « Tiens, en me réveillant, j'avais l'impression d'être un plasma », ou quelque chose d'approchant, tu vois? Un peu n'importe quoi, bon. Je l'admets. Eh bien elle, aussitôt, elle se fâche! « Qu'est-ce que tu racontes, hein? Ça n'a pas de sens! »

Maggie lui jeta un coup d'œil en biais.
– Mmm. Je crois que je vois ce que tu veux dire. Je crois. Mais tu sais, dis-toi bien qu'il doit y avoir des millions de mères au monde qui réagiraient comme ça!
– Et des millions qui comprendraient du premier coup. Bon sang, quoi! Rien qu'au son, on pige tout de suite : plasma! Splash! Flagada! On sent tout de suite que ce n'est pas la grande forme, non? Mais ma mère, aussitôt, elle prend des airs de grand inquisiteur : « Enfin, Jasper! Sais-tu, oui ou non, ce que ce mot signifie au juste? » (Evidemment que oui, je le sais.) « Alors, pourquoi l'utilises-tu à tort et à travers? » En réalité, pour finir, il ressort de l'interrogatoire que j'en sais plus long qu'elle sur ce que peut signifier ce terme (et ça la met encore un peu plus hors d'elle) : parce qu'un plasma, ce n'est pas seulement la partie liquide du sang; c'est aussi (je crois) un genre de quartz, et un certain type de gaz dans un état particulier. Mais ma mère, si je lui dis ça, elle devient folle : « Eh bien! ça ne fait rien. C'est quand même une façon ridicule de s'exprimer, Jasper. Tu ne

pourrais pas parler comme tout le monde, non, qu'on te comprenne un peu ? »

Maggie soupira discrètement.

– Mmm. A ta place, rien que pour elle, tu vois, j'essaierais un peu. Un tout petit peu.

– Tu ne comprends pas. Tu ne peux pas savoir ce que c'est, que de sentir toujours des soupçons peser sur soi. Ma mère, sitôt qu'elle ne comprend pas, elle devient méfiante. Et je te garantis que pour te dire ce que je ressens là, pour cette impression terrible qu'on se méfie toujours de vous, je peux te dire que je n'ai pas de mot... (Il s'était tourné vers elle.) Combien je parie que ton père me comprendrait, lui, même s'il ne comprend pas absolument chaque mot pris séparément ?

– Oui... Je pense qu'il te comprendrait, lui. Mais tu sais, même ma mère, je ne jurerais pas que si je lui déclarais que je me sens comme un plasma, elle ne commencerait pas par se poser des questions ! « Comme un plasma, vraiment ? Maggie, il faut que je prenne ta température... »

Jasper éclata de rire.

– Tu sais, renchérit Maggie, ce n'est pas

toujours drôle d'avoir une mère qui fait de la dépression nerveuse...

(A ce point de son discours, elle se fit par avance d'amers reproches : elle allait casser du sucre sur le dos de sa mère. Oui, mais c'était pour la bonne cause, afin de permettre à Jasper de juger la sienne un peu moins sévèrement. Encore une chose dont elle aurait à se corriger sans retard – dès le lendemain, tiens! – que cette habitude d'éreinter outrancièrement un membre de sa famille, quand ce n'était pas elle-même, par compassion pour autrui... Ou, moins noblement, hélas, pour se faire bien voir...)

– Surtout que les dépressions nerveuses, ajouta-t-elle, c'est drôlement contagieux. (Elle ne pouvait plus s'arrêter.) Moi-même j'en ai attrapé une. Et on peut toujours rechuter.

– Qu'est-ce qui provoque ces crises, chez ta mère?

– Misère! Tu devrais plutôt dire : qu'est-ce qui n'en provoque pas? L'idée d'avoir avalé de l'aliment pour chien, par exemple, tu vois le genre! Une belle crise d'hystérie, ce jour-là! Ce n'était même pas du poison, tu sais. Bon. Et aussi, tiens, si on met cinq minutes de plus que d'habitude pour rentrer de l'école, Sam et moi : la crise! Et le sang! Alors là, c'est le bouquet! Une goutte de sang, et elle devient folle. Je pourrais continuer comme ça longtemps. C'est quelquefois bien gênant.

– Je te ferai remarquer, quand même, qu'elle t'a laissée t'embarquer seule pour ce voyage. Donc, elle n'est pas si anxieuse que ça, il me semble?

– Alors là, oui, c'était la grande surprise. Mais je te parie que si elle apprenait que Tante Yvonne, si ça se trouve, ne sera pas là pour m'accueillir, elle en tomberait raide.

– Et... tu comptes le lui dire?

La question heurta Maggie de plein fouet.

– Tu pourrais au moins mettre ça au conditionnel. Avec des *si*, on ferait n'importe quoi.

– Bon, si tu préfères : *si* ta tante n'est finalement pas là, comptes-tu prévenir ta mère?

– Ben... (Maggie prit une large aspiration, qui n'était pas uniquement constituée d'air marin, mais d'une giclée d'embruns en prime. Elle toussa un bon coup, ce qui lui laissa le temps de réfléchir.)

Je... Je pense que je pourrais essayer de contacter mon père, en lui demandant de ne pas mettre maman au courant. Je pense que j'arriverais à conserver suffisamment mon sang-froid pour réfléchir à ce genre de choses.

– Alors, c'est qu'elle ne t'a pas vraiment passé sa tendance à la crise de nerfs.

– Tu crois?

– C'est une hypothèse. Et d'ailleurs, ça se soigne, dis-toi bien. Tandis que réagir comme un édredon, tu comprends, c'est incurable.

– Mais si tu essayais de lui parler d'une autre façon? Je veux dire, peut-être que ta mère a trop de bon sens pour toi?

– Bon, ça va, ça va! Ne t'en fais pas, cet édredon, je l'aime quand même, va! Mais faut-il vraiment que je l'apprécie?

– Ça ne te tuerait pas d'essayer.

Et tous deux éclatèrent de rire.

Jasper avait changé, ces deux ou trois derniers jours. Lentement, imperceptiblement, mais sûrement. Il commençait à rire de ses petites misères familiales; ce devait être bon signe.

Simplement, pourvu que ça dure!

C'est ce soir-là que le capitaine donna

son dîner d'adieux, afin d'en faire profiter aussi les passagers débarquant à Naples. (Le dîner d'adieux du capitaine, à bord d'un bateau, a lieu traditionnellement deux soirs avant le débarquement, et non la veille, ceci, expliqua Bettina, afin de permettre aux grandes personnes d'avoir tout le temps de remballer dans du papier de soie leurs beaux habits de soirée.)

Chacun donc, ce soir-là, se remit sur son trente et un, et ce fut somptueux. Sur l'immense table-buffet se dressait un véritable paysage comestible, composé de feuilles fraîches, de fleurs, de fruits et de légumes, de charcuterie et de pâtisseries de toutes les formes et de toutes les dimensions possibles. C'était comme un jardin, dans lequel paradaient des oies et des faisans farcis, et au milieu duquel un splendide hippocampe, sculpté dans de la glace, tenait orgueilleusement la vedette. Il y eut de nouveau, ce soir-là, du caviar pour quiconque en voulait (ce qui excluait Maggie), et la salle à manger tout entière semblait s'illuminer sans trêve des brèves gerbes de flammes que faisaient monter vers les lustres les divers plats flambés à table. (Ce détail rappelait à Maggie les feux de Bengale du 4-Juillet*, et aussi les crêpes Suzette, à la maison, ainsi que diverses autres splendeurs, qui étaient cependant loin d'égaler pareille magnificence.) Enfin, en manière de bouquet final, tous les serveurs au grand complet défilèrent autour de la salle, exposant aux regards extasiés des convives de gigantesques pièces montées, plus décorées qu'aucun gâteau dont eût jamais rêvé Maggie.

Ce soir-là, au sortir de ce festin sans égal, la tête pleine encore de grandioses images, Maggie regagna sa couchette sur un nuage. Et c'est seulement une fois là-haut, allongée sous les couvertures, qu'elle revint sur terre en chute libre : toujours pas de nouvelles de Tante Yvonne.

Alors Maggie, voyageuse au long cours, s'exerca encore longuement à prononcer quelques phrases clés, comme des appels au secours et autres interjections indispensables.

Le lendemain, avant la fin de la matinée, ils avaient quitté les eaux de la

* 4 juillet 1776 : fête de l'Indépendance américaine.

Méditerranée proprement dite pour entrer dans celles de la mer Tyrrhénienne. Naples n'était plus très loin.

Maggie et Jasper furent tirés de leur poste de guet par la vision d'une scène insolite, sur le plancher du pont, tout à côté du chenil : Doris était là, seule, dans la position du lotus – jambes croisées contre le sol, talon sur la cuisse opposée. Elle fermait les yeux.

– Salut! lui lancèrent-ils étourdiment.

Doris battit des paupières et posa un doigt sur ses lèvres.

– Chuuut! Je médite...

A côté d'elle s'ouvrait un livre de poche promettant le yoga sans larmes.

Elle était encore en train de méditer quand arrivèrent John et le reste de la bande. Quelques minutes plus tard, sur ce même coin de pont, Doris lisait à voix haute les instructions détaillées du manuel, tandis que chacun (y compris Maggie, Jasper et leurs amis) s'essayait au yoga avec art et méthode – respiration, posture du lotus, du cobra, et tentative d'accès à la sérénité.

De la sérénité, Maggie se disait que Doris devait en avoir grand besoin ces derniers temps : le voyage tirait à sa fin, et elle n'avait pas conquis le beau John... (A défaut de sérénité, d'ailleurs, c'était plutôt le cœur de ce malheureux Peter que Doris semblait avoir touché, mais tel n'était pas, sans doute, le but de la manœuvre.)

Pour sa part, Maggie regrettait un peu que Doris eût attendu l'avant-dernier jour du voyage pour se mettre au yoga : car à coup sûr cet enseignement n'eût pas été inutile à Maggie... Le silence de Tante Yvonne devenait hélas d'heure en heure un plus funeste présage.

Détail révélateur, d'ailleurs : un rideau de silence pudique était retombé sur le « concours de pronostics Tante Yvonne ». Il n'en était même plus question. Pis encore : à plusieurs reprises, Maggie sentit qu'on se taisait à son approche; probablement était-ce, justement, parce que l'on était en train de parler d'elle?

Après le dîner, ce soir-là, M. Dumont, toujours boitillant, se dirigea vers Maggie. Son mal devait avoir empiré car il s'aidait à présent d'une canne.

– Alors, a-t-on décidé d'aller voir Naples, demain? Comme dit le proverbe italien...

– Non, coupa Maggie.

(Ouais, voir Naples et mourir. On la connaît, songeait-elle.)

Mais elle n'ajouta pas un mot.

Eh non! elle ne s'inscrirait pas pour la visite de Naples, elle n'irait pas se balader sur la voie Amalfi, ni découvrir Pompéi. La raison en était simple: Jasper n'avait assez d'argent pour aucune de ces excursions, et elle n'irait pas sans lui. Mais rien de tout cela ne regardait M. Dumont.

Ainsi lâchée sans commentaire, cette nouvelle parut – curieusement – le chiffonner pour de bon.

– Comment? Faire escale devant Naples et ne pas même descendre à terre? Ne pas même poser le petit orteil?

– Non.

– Bonté divine! Mais c'est trop dommage! C'est vraiment trop, trop dommage! Il n'existe qu'un seul Naples au monde, pourtant!

Maggie haussa une épaule. Déjà elle avançait le pied, prête à s'éclipser.

– Tst! tst! tst! Et si ce bon vieux Dumont t'en fournissait une, hein, une raison de descendre à terre?

Maggie haussa les épaules.

– Te souviens-tu de cette enveloppe que tu es allée chercher pour moi à Lisbonne?

Comme si elle pouvait l'avoir oubliée, à deux jours d'intervalle! Franchement!

– Eh bien, maintenant, elle est censée descendre à Naples. Le chauffeur de mon associé doit l'y attendre. Et voilà que je ne peux pas bouger d'ici, cloué que je suis par ce pauvre pied....

– Et... il ne peut pas venir jusqu'ici, ce chauffeur?

– Tu es une demoiselle très futée, seulement, vois-tu, je n'ai plus aucun moyen de le joindre. (Il eut un bon sourire.) Allons, tant pis, ça ne fait rien. Je glisserai un pourboire à l'un des garçons de cabine...

– Où est-il censé attendre, ce chauffeur?

– A la sortie du quai. Tout près. Mais me tromperais-je ou bien s'apprête-t-on à rendre un dernier service à un pauvre canard boiteux?

Pourquoi diable tenait-il donc à lui prêter d'aussi nobles sentiments? Non, simplement, Maggie se disait qu'après tout pourquoi pas? Ce pourrait être amusant de descendre du bateau et de faire quatre pas dans Naples, même sans visite guidée. Et puis, cela lui permettrait d'inscrire Naples à son palmarès.

D'ailleurs Jasper, consulté, trouva l'idée excellente. Ce pourrait être amusant. Plus amusant que de rester à bord, sans doute.

– D'ailleurs, conclut-il, il me reste assez d'argent pour une pizza. Naples est la capitale de la pizza, que je sache. Que dirais-tu, pour une fois, de goûter un authentique produit du cru?

Maggie trouva cette idée géniale.

– Ouais! En plus, la pizza, j'en raffole!

– Seulement, l'avertit Jasper, la mine grave, on fera bien d'ouvrir l'œil. Naples, c'est aussi la capitale des trafics louches, la capitale de l'arnaque...

Chapitre 12

Un rabat-joie avait prédit à la cantonade que pour la baie de Naples – la plus belle baie du monde – il faudrait faire tintin : elle était sûre de se présenter tout enchiffonnée de brume et de fumée.

Le rabat-joie en fut pour ses frais. Il n'y avait, ce matin-là, pas le plus léger soupçon de brume ni de fumée. Et la baie s'offrit à eux, nette, éclatante, avec un relief saisissant.

Maggie, Jasper et les autres s'étaient donné rendez-vous aux aurores, à leur poste de guet. Pour Kenneth et Bettina, Naples faisait partie des vieilles lunes, mais ils avouaient volontiers ne pas s'en lasser vraiment. Quant à Pietro, tout italien qu'il fût, il n'avait jamais vu Naples depuis la mer.

Ils étaient passés dès l'aube au large de l'île de Capri, et les premiers rayons du levant les avaient vus longer la presqu'île de Sorrente et la poussière d'îles parsemant la baie. Lorsque Naples elle-même apparut, ce fut d'abord le Vésuve, un peu à l'écart, qui attira tous les regards. Il semblait si paisible et innocent, sur ce fond de soleil levant! Mais Bettina ne manqua pas de rappeler que c'était un fauve endormi, et qu'il ne fallait pas s'y fier; il pouvait à tout moment s'éveiller, et cracher de nouveau le feu et la mort. Ils songèrent un instant à jeter Bettina par-dessus bord.

Et comme le bateau, à présent, piquait droit sur Naples, ils entonnèrent tous en chœur (sous la direction de Pietro) « Funiculi, funicula » – que chacun connaissait plus ou moins – à la gloire des funiculaires de Naples, puis « O sole mio », autre grand air napolitain – que chacun connaissait aussi, plutôt moins que plus.

Lorsque la vedette amenant le pilote de port se rangea le long du *Toscana,* le rituel du spectacle, pour une fois, faillit bien s'agrémenter d'une variante : l'un des occupants de la vedette perdit soudain l'équilibre, et sans doute aurait-il plongé dans les eaux de la baie sans l'intervention remarquable d'un gros monsieur étonnamment preste. Ce gros monsieur faisait partie d'une petite délégation insolite à bord de la vedette du pilote, tout un groupe de messieurs en costume de ville, dont on pouvait se demander ce qu'ils faisaient là. L'aspect le plus comique de ce sauvetage *in extremis* fut qu'il se déroula comme dans un dessin animé : lorsque l'autre perdit l'équilibre, le gros monsieur qui le rattrapa le fit en regardant ailleurs, distraitement, l'air préoccupé par tout autre chose...

M. Dumont avait prévenu Maggie qu'il l'attendrait au salon-fumoir, qui était à deux pas de sa cabine. Naples étant le terme du voyage pour bon nombre de passagers, le salon-fumoir débordait de bagages, et le tohu-bohu y était pire que jamais. Pour rejoindre M. Dumont, Maggit dut se glisser de force entre des quantités de personnes, et, au cours de cette progression, elle entra en collision avec le gros monsieur de la vedette. Elle lui présenta vivement ses excuses, mais il ne semblait même pas s'être aperçu de ce qu'elle l'avait bousculé. C'était décidément quelqu'un de très distrait.

– Ah! s'écria M. Dumont. Voici ma charmante commissionnaire. Est-elle prête à accomplir sa mission?

– Moui.

Il lui dédia une courbette.

– Je vous en serai éternellement reconnaissant, mademoiselle. Tellement reconnaissant qu'à votre retour il y aura une petite surprise... Que dites-vous de cela, jeune fille?

Maggie avait, il faut l'avouer, un petit faible pour les surprises – et cela même, sans fausse honte, quelle qu'en fût la provenance. Elle bredouilla donc, ravie :

– Euh... Euh... Merci...

– Tout le plaisir est pour moi, chère amie.

Il tendit l'enveloppe à Maggie et la regarda l'enfourner dans les profondeurs de son sac, bien en sécurité.

– Tu n'auras pas d'explications à fournir, le chauffeur attendra qu'on lui remette ces papiers. Il se trouvera juste à la sortie du port, sur la gauche, sur la Via

Maritima. Dans une Mercedes gris foncé. Tu ne peux pas te tromper.

– Me connaîtra-t-il d'avance, comme la dame à Lisbonne? voulut savoir Maggie, par simple curiosité.

M. Dumont parut brièvement hésiter.

– Mmnon, dit-il.

Maggie prit congé, mais, tout en s'éloignant, l'idée lui vint tout à coup, inexplicablement, que M. Dumont venait de mentir, et que le chauffeur de la Mercedes serait en possession, lui aussi, d'une description détaillée de la commissionnaire attendue. Mais pourquoi diable M. Dumont mentirait-il à ce propos? Non, ce devait être, une fois de plus, un effet de son imagination.

Pure invention ou non, cette idée la mit mal à l'aise, à tel point qu'un instant elle fut tentée d'aller tout droit rendre l'enveloppe à M. Dumont, avec la première excuse qui lui viendrait à l'idée. Elle se retourna pour le regarder mais il avait disparu, et Jasper, qui l'attendait déjà au niveau de la passerelle de débarquement, lui adressait du bras une série de moulinets l'invitant à se dépêcher.

Lorsqu'elle l'eut rejoint, elle lui dit

aussitôt, entre ses dents, sans le regarder :

– Je ne suis pas tranquille.

– Allons bon. Qu'est-ce qu'il y a encore ?

– Cette enveloppe...

D'autres passagers s'apprêtant à quitter le bord piaffaient sur leurs talons, prêts à les écarter de force.

– Viens donc ! s'impatienta Jasper avec un coup de coude.

– Ecoute. Je ne sais pas si je ne ferais pas mieux d'aller la rendre, plaida Maggie tout bas, plaintive.

– D'accord, d'accord... Mais j'aimerais bien que tu m'expliques pourquoi, d'abord. Viens, on gêne le passage. Allons sur le quai. Tu vas m'expliquer tout ça, et ensuite on pourrait au moins aller manger nos pizzas, non ? On retournerait à bord tout de suite après. D'accord ?

La proposition paraissait raisonnable, et tous deux se joignirent à la foule compacte qui s'engageait sur la passerelle. Sitôt sur le quai, le flot humain se désagrégeait et partait dans toutes les directions, les uns vers la douane, les autres vers les cars d'excursions, d'autres vers les taxis, d'autres encore à pied. Jasper et Maggie laissèrent la nuée se dissiper, puis Maggie entreprit d'expliquer le pourquoi de ses tourments.

– Je t'assure, j'ai l'impression qu'il m'a menti. Il m'a dit que le chauffeur n'aurait pas ma description, et je suis persuadée du contraire, d'après la manière dont il a dit ça.

– Ça m'a l'air complètement idiot. Pourquoi mentirait-il sur un truc comme ça?

– C'est bien ce que je me demande, et qui me déplaît drôlement. Tu comprends, s'il est exact qu'il ment, c'est plutôt louche, non?

– Ce serait louche, en effet.

– Imagine qu'il fasse partie d'une connexion...

– Attends, là je ne te suis plus. Une *connexion*?

– Oui, tu sais bien, les filières, là, les trucs de trafic de drogue, on en parle à la télé... (Maggie commençait à se faire peur à elle-même.) Tu comprends? Dumont, la fille de Lisbonne, le chauffeur... et cette enveloppe... Nom d'une pipe, Jasper, tu ne vois pas qu'il y aurait pour un million de dollars d'héroïne, dedans?

Son sac lui brûlait l'épaule. Elle entreprit de le tâter prudemment.

– Là, ça m'étonnerait. Dans une enveloppe comme ça, je les vois mal fourrer tout ça d'héroïne. Par contre... (la voix de Jasper avait monté d'un ton)... elle pourrait fort bien contenir le fric correspondant! Bon sang! Du fric de trafiquants! Ben dis donc! Tu parles d'une paire de gogos qu'on serait, nous deux, dans l'affaire, tiens! Deux gentilles petites marionnettes!

– Comment ça, nous deux?

– Ben tiens, je ne suis pas avec toi, peut-être, nounouille? Euh, je veux dire, pigeon!

– Vu. Et dans ce cas, c'est encore plus simple. Pas besoin d'aller plus loin; le petit père Dumont, il faudra qu'il se trouve un autre joujou téléguidé! Parce que, si tu veux mon avis, tu es déjà bien assez dans la mélasse comme ça! Et moi aussi, d'ailleurs, si on va par là. Pas besoin de devenir en plus une paire de dindons de la farce!

– Bon. Mais qu'est-ce qu'on va lui dire, à ton M. Dumont?

– Ça, je ne sais pas. Que je viens d'être prise de crampes d'estomac, par exemple? Ce ne sera pas tellement loin de la vérité...

Ils firent donc demi-tour. Le temps de leurs délibérations, le quai était devenu quasi désert; seuls quelques débardeurs circulaient encore dans le secteur, au volant de chariots à bagages, chargés comme des chameaux de caravane; là-bas, près de la passerelle, le gros monsieur de la vedette discutait avec un membre de l'équipage.

Maggie et Jasper n'avaient pas fait trois pas qu'un lourd chariot transportant des caisses vint leur barrer le chemin.

– Hé! dites! lança Jasper au conducteur, on voudrait remonter à bord.

Mais l'employé, sourd, muet, aveugle, fit comme si de rien n'était.

– Dites, monsieur! reprit Jasper, plus fort encore.

Maggie l'agrippa par un pan de son tee-shirt.

– Jasper! souffla-t-elle. Viens! Je n'aime pas ça du tout! Regarde ces bonshommes qui arrivent droit sur nous!

Derrière eux, par-delà le quai, s'élevait, rassurant, le ronronnement de la ville. Mais là, sur la jetée, dans l'ombre du paquebot plus qu'aux trois quarts désert, ces hommes au pas décidé, la casquette vissée sur le crâne, avaient l'air franchement sinistre.

– Jasper! chuchota Maggie. Je leur trouve un sale air, pas toi?

– Je n'en sais rien, chuchota Jasper. Viens donc. Allons plutôt nous débarrasser de cette enveloppe, si tu m'en crois. Allons la remettre à ce chauffeur. Après tout... Viens!

Ils tournèrent donc de nouveau les talons et partirent d'un pas rapide, avec la pénible impression d'être suivis. La Mercedes et son chauffeur apparurent bientôt, à la sortie du quai.

Le chauffeur n'était pas au volant, mais à l'extérieur du véhicule, adossé contre la portière et fort occupé à tirer sur sa cigarette. Il n'avait pas l'air bien vieux et, pour autant qu'on en pût juger d'aussi loin, il paraissait de fort belle humeur. Il donnait même l'impression de fredonner, entre deux bouffées de cigarette.

Maggie eut un soupir de soulagement.

– Il n'a pas l'air d'un truand, tu ne trouves pas? J'ai l'impression qu'il chante.

– Ça ne veut rien dire du tout. Tu sais bien qu'à Naples tout le monde chante. C'est presque réglementaire.

– Quand même, je ne pense pas qu'un truand prêt à recevoir des millions de...

Maggie ne devait pas terminer sa phrase.

Le chauffeur, brusquement, avait mis fin à sa chansonnette. Il s'enfournait dans son véhicule, précipitamment. Maggie s'immobilisa une fraction de seconde, le temps d'extraire l'enveloppe de son sac, puis elle se rua, suivie de Jasper, vers la Mercedes grise. Lorsqu'ils l'atteignirent, le moteur tournait déjà.

– M. Dumont m'a chargée..., commença-t-elle, se penchant, hors d'haleine, vers la vitre ouverte.

Mais l'autre, triturant son levier de vitesses, secoua la tête.

– M. Dumont, connais pas! déclara-t-il par-dessus son épaule, tandis que la voiture s'éloignait déjà.

Et Maggie se retrouva toute bête, pantelante, sa grande enveloppe à la main.

C'est alors que survint une grande limousine noire, apparue comme par enchantement, et qui coinça la Mercedes d'une somptueuse queue de poisson.

Il y eut un long ululement de pneus gémissant sous le coup de freins, suivi d'un fracas de tôles froissées.

– *Grazie, signorina.* Permettez-moi de prendre ceci.

Et, en souplesse, très naturellement, le bras du mystérieux gros monsieur surgissait soudain de nulle part et cueillait des mains de Maggie l'enveloppe de M. Dumont.

Alors, dans le plus parfait italien, Maggie, voyageuse au long cours, s'écria à pleins poumons :

– *Aiuto! Polizia!*

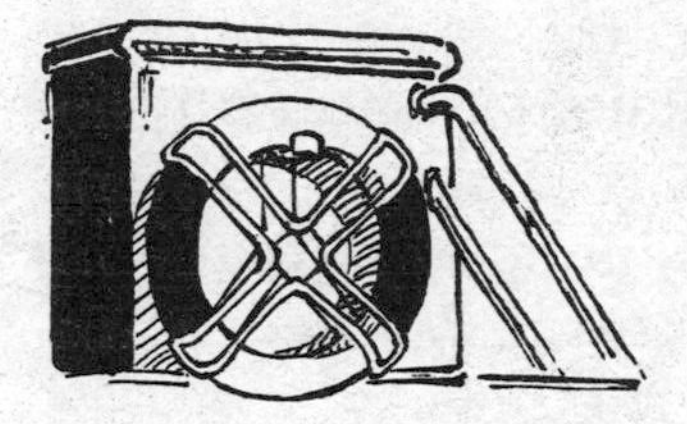

Chapitre 13

– Excellent, *signorina.* Pas réellement indispensable, mais excellent, vraiment, parvenait à glisser le gros monsieur entre deux salves de hurlements de Maggie. Là, là, ça suffit. Je ne suis pas sourd.

Après un dernier *Aiuto!* chevrotant, Maggie se tut, hors d'haleine. Ses yeux s'écarquillaient de terreur, elle n'y comprenait plus rien.

Le gros monsieur s'était tourné vers le chauffeur de la Mercedes.

– *Si, Alberto, oggi...*

Et il se mit à parler très vite, à mi-voix, en italien, au malheureux chauffeur affalé sur son siège, le dos rond, vivante image de la défaite.

Jasper et Maggie esquissèrent un mou-

vement de retraite. Sans se départir de son calme, l'imposant bonhomme leur barra le chemin.
– *No, no, bambini,* dit-il. Je viens d'expliquer à Alberto qu'ils ont agi, son patron et lui, comme deux pauvres minables. Incroyablement faciles à piéger. Je l'ai offensé, voyez-vous. Il ne dit rien... Quant à vous deux, vous avez agi comme des écervelés aussi, et de façon bien téméraire. Ah! la jeunesse! On aime trop le danger à votre âge. Le danger, l'aventure...
– Moi, aimer le danger? s'empressa de nier Maggie, du fond du cœur.
– On peut savoir qui vous êtes, monsieur? parvint à demander Jasper, dont la voix coassait un peu.
– Ma foi, vous êtes parfaitement en droit de poser la question. Alberto, il me connaît, mais il ne m'aime pas beaucoup, et il est trop furieux aussi pour faire les présentations. Aussi... (Il adressait à Jasper le franc sourire d'un homme qui aurait quelques kilos à perdre.) Aussi... comment dit-on dans votre langue, déjà? Ah! oui! Je vais vous vendre la mèche, c'est ça, oui?

Ce disant, il sortait un portefeuille de

la poche intérieure de sa veste et le brandissait sous le nez de Jasper.

Jasper émit un petit sifflement.

– Interpol?

Maggie s'effara plus encore.

– Qu'est-ce que c'est?

– Police internationale, expliqua Jasper.

– Police? (Pour le coup, Maggie crut défaillir.) S'il vous plaît... *Per piacere...* Monsieur... *Signore...* Je... (Elle désignait l'enveloppe qu'il tenait toujours à la main.) M. Dumont avait dit que c'était des papiers d'affaires. C'est tout ce que je sais. Juré sur l'honneur. (Elle désigna Jasper d'un coup de tête.) Et lui, là, il n'a rien à faire là-dedans. Rien du tout. Il était avec moi, c'est tout. C'est un ami à moi.

– Mais oui, mais oui, tenta de la calmer le gros monsieur.

Tout en parlant, il faisait un signe au chauffeur de la limousine noire. Le chauffeur porta deux doigts à sa casquette et manœuvra pour laisser le champ libre à la Mercedes, dont le pare-chocs seul avait souffert et pris une étrange courbure.

– Allons, venez. Alberto va gentiment nous conduire au poste (il sait très bien où c'est, n'est-ce pas?), et nous aurons là-bas une petite séance d'explications, avec dépositions et confessions.

Confessions? Maggie se voyait déjà, une lampe aveuglante braquée dans le fond de l'œil, sous le feu d'un interrogatoire sans pitié.

Le gros monsieur la poussa doucement sur la banquette arrière de la Mercedes, invita Jasper à l'y suivre et les y rejoignit à son tour. A tâtons, Maggie chercha la main de Jasper. Elle était aussi glacée que la sienne.

Alberto embraya en faisant grincer les vitesses. Le gros monsieur lui dit quelque chose en italien, d'une voix pas précisément tendre.

Puis il se tourna vers les enfants et leur expliqua :

– Ce que je viens de lui dire, là, c'est que M. Dumont a déjà bien assez d'ennuis sur le dos, maintenant, sans devoir en plus se payer une Mercedes neuve. Au fait, *signorina,* tu n'es pas du Missouri?

– Non, monsieur. De l'Iowa.

– Ah! c'est bien dommage. Si tu étais du Missouri, tu aurais demandé à voir ce qu'il y a dans l'enveloppe, non? (Il riait tout seul de sa plaisanterie.) Je me suis laissé dire que les gens du Missouri étaient du genre inquisiteur...

– Au fait, justement, voulut savoir Jasper. Qu'est-ce qu'il y a, dedans?

– Vous verrez... surprise, surprise!

– Est-ce en rapport avec la... la *French Connection*?

– C'est-à-dire?

– Ben, la drogue!

– Vous verrez. Il faut vous dire qu'en fait de policier, je suis un comédien manqué. Un homme de théâtre. Je raffole du suspense, des coups de théâtre! Mystère, mystère, mystère... et soudain, pouf! révélation! Vous n'aimez pas, vous?

Jasper et Maggie, en silence, l'approuvèrent du menton.

Le véhicule se frayait tant bien que mal un chemin au milieu d'une circulation intense, dans des rues plus étroites qu'il n'est permis. Trop secouée pour avoir le cœur à contempler le paysage, Maggie n'en remarqua pas moins qu'à Naples, de même qu'à Lisbonne, faire la lessive semblait être une occupation favorite. Du linge multicolore flottait gaiement un peu partout, en guirlandes aux fenêtres ou en banderoles en travers des rues, battant doucement au vent.

Parvenu à destination, le petit groupe s'enfila, docile, le long des corridors et des escaliers menant à ce que le gros monsieur avait appelé le « poste ». Maggie n'en menait pas large. Déjà, même en Iowa, les bâtiments officiels lui donnaient le frisson, mais ici, à l'étranger, c'était encore vingt fois pire. Un véritable cauchemar éveillé.

Ils pénétrèrent dans une petite pièce où semblait les attendre, derrière le rempart d'un immense bureau, un homme en uniforme et au visage en lame de sabre. Il leva les yeux vers eux.

Le gros monsieur déposa l'enveloppe sur le bureau, avec autant d'égards que si elle contenait du cristal. L'homme au nez en couteau jeta un coup d'œil sur sa montre. Le gros monsieur haussa les épaules en signe d'impuissance.

– Oui, je sais. Pas trop tôt. J'aurais pu faire plus vite, mais je tenais à les prendre la main dans le sac. Voulez-vous bien l'ouvrir, ou préférez-vous que je le fasse ?

L'autre, d'une courbette de biais, lui fit signe d'opérer. Le gros monsieur chaussa ses lunettes et, très délicatement, entreprit de décoller le rabat de l'enveloppe. L'ayant ouverte, il prit la précaution, avant d'y plonger les doigts, de s'essuyer longuement les mains dans son mouchoir.

Puis il glissa la main dans l'enveloppe. Il y eut un frou-frou de papier de soie. Un long rectangle plat sortit de l'enveloppe. Le gros monsieur, délicatement, retira le papier de soie, ouvrit une chemise en carton, retira une nouvelle couche de papier de soie.

C'était un dessin.

La face ronde du gros monsieur et la face en couteau de l'autre se penchèrent de concert sur le rectangle de papier jauni. Tous deux laissèrent échapper un soupir de connaisseur. Puis le gros monsieur, l'index en crochet, fit signe à Jasper et à Maggie d'approcher.

Le croquis représentait une jeune femme, coiffée d'un voile au drapé doux et étudié.

– *Bella... Bella...*, ne cessait plus de murmurer l'homme en uniforme.

– Savez-vous de qui est cette œuvre? demanda le gros monsieur aux enfants.

Maggie n'avait, en matière d'art, que des connaissances très vagues. Tout au plus avait-elle parfois regardé quelques tableaux célèbres, dans les livres de la bibliothèque paternelle. C'était là, d'ailleurs, une des choses auxquelles Tante Yvonne avait promis de rémédier; du moins, *si*...

– Voyons, leur souffla le gros monsieur, pour les mettre sur la voie. Ce sourire... Ce sourire ne vous rappelle rien? Certes, ce n'est pas tout à fait le même, mais il devrait vous rappeler un sourire très célèbre...

Jasper siffla tout bas.

– Mona Lisa... Serait-ce un dessin de Léonard de Vinci? Un *original* de Léonard de Vinci?

Les deux hommes, sans mot dire, acquiescèrent ensemble. Et Jasper de nouveau émit un petit sifflement.

– Eh ben dis donc! Maggie, tu te rends compte? Tu baladais un authentique Léonard de Vinci dans ton grand sac fourre-tout, à côté de ton chewing-gum! Elle est bonne! Un Léonard de Vinci!

Maggie en avait le tournis. Elle était peut-être ignare, mais Léonard de Vinci, tout de même, elle connaissait. Et ce n'était pas le premier venu...

Le gros monsieur dit à Jasper qu'il ne devait vraiment pas être bête pour avoir fait si vite le rapprochement entre cette femme et le sourire de Mona Lisa; et Jasper, pour une fois, ne parut pas s'en formaliser.

– Si je comprends bien, dit-il, ce M. Dumont est un grand voleur.

– Pas exactement, intervint le gros monsieur. A vrai dire, pour cette œuvre-là, le premier voleur fut Napoléon.

– Napoléon? s'étonnèrent en chœur Jasper et Maggie.

– Eh oui! Napoléon. Ce dessin, que la France à présent revendique comme une propriété nationale, est à strictement parler la propriété de l'Italie. Mais Napoléon, grand amateur de précieux butins, avait fait main basse dessus, entre autres trésors. Cela dit, ici, en Italie, plus exactement à Florence, nous sommes en possession d'un dessin à peu près semblable. Si bien que nous pardonnerons à Napoléon.

– Mais alors, et M. Dumont? Pourquoi n'est-il pas un voleur?

– Techniquement parlant, non, ce n'est pas un voleur. Cette œuvre d'art, il l'a achetée, il l'a payée dans les règles. Une jolie fortune, d'ailleurs. Mais ce qui n'est pas dans les règles, c'est de lui faire quitter la France. En France, comme en Italie, ce qui est déclaré œuvre d'art faisant partie du patrimoine national n'a pas le droit de sortir des frontières. *Signor* Dumont connaît parfaitement cette loi. C'est un grand collectionneur d'œuvres d'art, un collectionneur insatiable. Et, en même temps, un scélérat, d'embaucher pour son sale travail une gentille jeune fille à Lisbonne et une petite fille voyageant seule. La petite fille, c'était le maillon d'une chaîne de commissionnaires innocents, chargés de convoyer le tableau depuis la France jusqu'au Portugal, puis du Portugal à Naples, et finalement, de là, à sa villa près de Rome. Toujours quelqu'un d'autre pour faire à sa place la besogne compromettante... S'il n'avait pas eu sous la main cette petite fille, il se serait trouvé à bord une autre dupe. Alberto, lui, c'est peut-être une dupe aussi, mais pas innocente, n'est-ce pas, Alberto? Il était payé pour ce boulot, lui. Et nous l'avons pris la main dans le sac, en train de réceptionner le tableau. Alberto, ce n'est pas seulement une dupe, c'est aussi une pauvre andouille qui a manqué son coup.

Alberto, debout dans un coin, les bras ballants, fit signe qu'il était entièrement d'accord, hélas.

– Et M. Dumont, que va-t-il lui arriver? voulut savoir Maggie.

– Ça, c'est à la France d'en décider. Quant au dessin, il repart là-bas. Et M. Dumont, il va venir ici d'abord. Nous avons quelques questions à leur poser, à Alberto et à lui.

– Et nous? demanda Maggie d'une toute petite voix. Que va-t-on faire de nous?

Le gros monsieur et le maigre échangèrent quelques mots en italien. Puis le gros monsieur se tourna vers Jasper et Maggie :

– Pour commencer, nous allons devoir recueillir votre déposition; comment *signor* Dumont vous a remis l'enveloppe, qui vous l'avait donnée pour la première fois à Lisbonne, bref, tous les détails sans en oublier, après quoi...

– Après quoi?

– Après quoi, puisque d'une certaine façon vous nous avez facilité la tâche, vous serez nos hôtes à Naples jusqu'à l'heure de regagner le bateau. Qu'est-ce qui vous tenterait le plus, à Naples?

Jasper et Maggie échangèrent un coup d'œil.

Maggie prit la parole pour tous deux :

– S'il vous plaît, ce que nous aimerions, ce serait de pouvoir goûter à de l'authentique pizza napolitaine.

Le gros monsieur baissa les yeux vers le Léonard de Vinci.

– De la pizza. *Dio mio*, de la pizza... (Il murmurait à peine, et semblait s'adresser à la jeune femme au mystérieux sourire.) Ici, à Naples, nous avons des quantités de merveilles – le Vésuve, Pompéi, l'Opéra, des musées, un aquarium... Mais ce qu'ils souhaitent par-dessus tout, c'est manger de la pizza... (Il haussa gentiment les épaules.) Et pourquoi pas ?

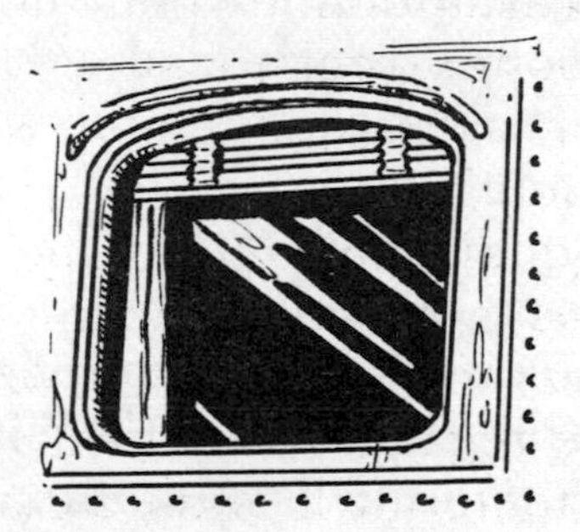

Chapitre 14

Le gros monsieur d'Interpol fut un hôte on ne peut plus compréhensif et généreux. Il emmena Jasper et Maggie se régaler de pizza dans le vieux Naples; plus tard, ils en mangèrent encore avant de prendre place dans le funiculaire, et une troisième fois encore après la visite de l'aquarium, où tournaient en rond, pensives, des milliers de créatures aquatiques, appartenant à des centaines d'espèces variées et pêchées dans la baie de Naples. Les pizzas donnant soif, après chaque dégustation il leur fallait en prime une coupe de l'un de ces fameux sorbets pour lesquels Naples est célèbre. Le gros monsieur les complimenta de savoir rester si sveltes en dépit d'un tel appétit. Et comme ils déambulaient dans

Naples (à pied, en trolleybus ou en taxi), Maggie avait le plaisir de constater que Jasper semblait vraiment fier d'être l'invité d'un policier d'Interpol. Pour sa part, elle trouvait délicieusement rassurant de découvrir ainsi, sous bonne garde, une ville où, disait-on, abondaient les coupe-gorge.

Au moment de les quitter, le policier d'Interpol leur fit un petit brin de sermon :

– Et que cette expérience, *bambini*, vous apprenne à devenir prudents, *si*? Parce que dans ce genre d'aventure, d'ordinaire, on ne récolte pas des pizzas, mais plutôt de gros, gros ennuis. Vous vous en souviendrez, *si*?

Ils lui assurèrent qu'ils ne l'oublieraient pas.

De retour sur le bateau, plus trace de M. Dumont. De fait, crise de goutte ou non, Interpol avait obtenu de faire débarquer M. Dumont à Naples de toute urgence, et son voyage s'achèverait là. Il avait donc quitté le bord, ne laissant derrière lui ni petite surprise ni mot d'excuses ou de remerciements. Mais Maggie se dit, philosophe, qu'après tout, pour ce qui était des surprises, elle avait été servie. Quant à la disparition des clignotements et des pétillements, il n'y avait rien à regretter non plus.

Mme Stone estima leur aventure merveilleuse. Un magnifique souvenir à chérir pour toujours – par contre, décidément, elle qui s'était toujours défiée des gens vraiment trop aimables, elle voyait bien qu'elle n'avait pas tort; et elle conviait fermement Maggie à en faire autant, à l'avenir.

– Cela dit, ajouta-t-elle, il y a tout de même quelque chose qui me sidère : j'avoue que je n'aurais jamais vu en lui un amateur d'art éclairé. J'aurais pensé que les peintures sur cendrier, du genre « souvenir de Naples », étaient davantage dans ses goûts.

Au dancing-discothèque, on fit cercle autour de Jasper et Maggie, qui racontèrent de nouveau toute l'aventure. Tout le monde fut vivement impressionné, même Bettina. De plus, chacun s'accorda à reconnaître que Jasper et Maggie, dans ces circonstances déroutantes, avaient fait preuve d'un certain sang-froid.

– Oh non! protesta Maggie. Vous auriez dû entendre les cris que j'ai poussés, un peu!

– Et en italien, qui plus est, précisa Jasper.

En italien? Mais c'était la meilleure! C'était au contraire une preuve supplémentaire de sang-froid, soutinrent-ils tous à l'unisson. Et Maggie dut admettre qu'elle avait été la première surprise de s'entendre appeler au secours en italien. (Mais elle s'était si bien entraînée!)

Le bateau devait quitter Naples à cinq heures. A cinq heures moins cinq, dans tous les haut-parleurs du bateau, de salon en fumoir, de pont en pont, d'un bout de couloir à l'autre, une voix réclama l'attention des passagers : Maggie était demandée au téléphone. Voulait-elle avoir l'amabilité de se rendre immédiatement à la station de radiotéléphone?

Un silence total se fit dans la salle de danse. Le cœur de Maggie battait, sur ce fond de silence, comme un marteau sur une enclume. Puis quelques mots de réconfort s'élevèrent çà et là :

– Ne t'en fais pas. C'est qu'elle sera là à Gênes!

– Tout ira bien! Vas-y vite!

– Ne t'inquiète donc pas.

Jasper accompagna Maggie à la station de radiotéléphone. L'opérateur de service était celui qu'elle connaissait le mieux, celui qui était le plus gentil, en dépit de sa mine sinistre. Il lui fit signe de se glisser dans la cabine; il avait l'air plus sinistre que jamais.

Maggie s'empara de cet appareil avec la conviction qu'il n'en sortirait rien de bon. Il y eut d'abord un rapide échange en italien entre l'opérateur du bord et son collègue de la terre ferme, suivi de toute une série de bruits bizarres, à vous faire exploser les oreilles, confirmant Maggie dans sa funeste certitude : il ne pouvait sortir de cet engin que des nouvelles catastrophiques.

Puis, soudain, les bruits se turent et une voix surgit, une voix de femme, gutturale, dramatique :

– Maggie? Maggie chérie? Ici c'est Yvonne, ta tante Yvonne.

La voix de Tante Yvonne tremblait. Aucun doute possible, elle tremblait.

La conversation fut pratiquement un monologue – aux frais presque exclusifs du gosier de Tante Yvonne; elle dura aussi fort longtemps. De ci, de là, Maggie parvint à glisser quelques « Oh! »,

« Oui », « Non », mais pour l'essentiel elle disait surtout : « Comment? Comment? »

La mine de Maggie, lorsqu'elle sortit de la cabine, était indéfinissable.

Jasper et l'opérateur la regardèrent s'avancer, anxieux et interrogateurs, attendant manifestement les nouvelles.

Maggie n'avait pas seulement la mine indéfinissable; sa voix n'était même plus la sienne, et les mots qu'elle prononçait semblaient concerner quelqu'un d'autre.

Elle commença, comme l'avait fait Tante Yvonne, par le commencement. A Cortina, les accidents, tout le monde connaît ça. Cassures, fractures, fêlures appartiennent au décor familier, et le plâtre à l'un des membres fait pratiquement partie du costume traditionnel, étant donné qu'à Cortina tout le monde circule à ski ou pratique l'escalade. Il n'y est donc que plus embarrassant de se casser la cheville de manière aussi stupide que lorsqu'on vient de se la casser en voulant rattraper son chien! Il faut dire que Siegfried, le basset de Tante Yvonne, lui avait – n'est-ce pas diabolique? – chipé l'éponge de son bain. Bref,

Tante Yvonne avait le pied dans le plâtre, sans compter, comble de l'horreur, un œil au beurre noir par-dessus le marché! Jour après jour, depuis cette chute, Tante Yvonne avait espéré être suffisamment remise pour effectuer le voyage jusqu'à Gênes. Hélas, ses prières n'avaient pas été exaucées...

– Oh! alors elle ne viendra pas? demanda l'opérateur.

– Non, mais ce n'est pas fini...

Maggie s'était-elle fait, avait voulu savoir sa tante, de gentils amis à bord du bateau? Peut-être une gentille dame à l'instinct maternel développé et parlant italien? Bien sûr, il allait falloir informer de la chose le commissaire de bord et, à défaut de gentille dame, il se trouverait bien quelqu'un pour la mettre dans le train pour Venise. Là, à Venise, un couple charmant – les Rossetti – se chargerait de la mettre dans le bus pour Cortina – à condition, bien sûr, qu'ils n'aient pas à se rendre absolument à Vérone, ce jour-là, pour affaires, auquel cas Tante Yvonne leur trouverait un substitut tout aussi charmant. A Cortina, enfin, un certain *signor* Minnetto serait là pour l'accueillir; c'était un excellent ami de Tante

Yvonne. Oui, tout irait très bien, comme sur des roulettes, il n'y avait vraiment rien à craindre, tout irait bien... Et ce n'était vraiment pas la peine d'aller tourmenter les parents de Maggie en leur envoyant un câble qui ne manquerait pas de les affoler pour rien. Tout ce qu'aurait à faire Maggie, en arrivant à Gênes, ce serait de leur câbler simplement BIEN ARRIVÉE STOP DÉTAILS SUIVENT, ce qui serait la pure vérité.

Et puis, surtout, quoi qu'il dût arriver, Maggie devait se souvenir de rester bien raisonnable, de conserver son calme, de ne pas descendre de son train une fois qu'elle aurait réussi à monter dedans, de parler italien aussi souvent que possible à l'aide de son manuel (qu'elle devait toujours garder à portée de la main), mais de prendre garde tout de même à ne pas adresser la parole à n'importe qui. Enfin, très important, elle devait toujours songer à bien profiter du paysage et des spectacles s'offrant à elle, car tel était le but final de son voyage, non?

Pour finir, au moment de dire au revoir, la tante s'était mise à sangloter, mais à sangloter! Un vrai Niagara de larmes.

Maggie avala sa salive.

– Alors c'est moi qui lui ai dit de garder son calme. Et qu'elle n'avait pas à s'en faire. Je lui ai dit : « Tiens, rien qu'aujourd'hui, j'ai appelé " Au secours! Police! " en italien et avec l'accent! » A ce moment-là, j'ai entendu un grand crac, et puis plus rien. La ligne était coupée.

Elle releva le menton, réajusta son sac sur son épaule.

– Voilà, c'est tout. Tu viens, Jasper?

Elle leva la main pour saluer l'opérateur, hésita une seconde, et lui lança :

– *Arrivederla, signore!*

– *Arrivederla, signorina, e buona fortuna!*

Sur quoi elle s'éloigna, un petit sourire aux lèvres.

– *Arrivederla,* ça veut dire « au revoir »; c'est la formule officielle, informa-t-elle Jasper tandis qu'ils retournaient à la discothèque.

– Ah! bon.

– Et *buona fortuna* veut dire « bonne chance ». Tu vois que ça commence à rentrer, l'italien! Qu'en penses-tu?

– Ouais.

Ils parcoururent le restant du trajet en silence, pensifs l'un et l'autre.

A peine eurent-ils réintégré la discothèque que l'on fit cercle autour d'eux.

– Alors? les pressa-t-on de toutes parts.

Alors, Jasper et Maggie, à eux deux, répétèrent le contenu de la longue communication, en commençant par Siegfried, le basset. Chacun parut sincèrement désolé pour Maggie, y compris ceux qui allaient du coup se partager la « cagnotte Tantine ». Mais Bettina se faufila près d'elle et, plongeant dans ses yeux son regard de belette, elle remarqua tout haut :

– Ce que je trouve bizarre, tout de même, c'est que tu n'as pas l'air de t'en faire. Pas du tout. Et s'il n'y a pas de charmant substitut aux Rossetti pour s'occuper de toi à Venise, hein?

Maggie soutint ce regard inquisiteur sans sourciller :

– Non, je ne m'en fais pas. Pourquoi voudrais-tu que je m'en fasse? Je peux demander où il faut prendre le bateau qui traverse le canal et qui vous dépose à l'arrêt de bus, et de là demander le bus pour Cortina, non? Je ne vois pas ce que ça a de sorcier.

– Ah oui? En italien?

– Parfaitement, en italien.

– Mmm-mmm. Et comment tu feras?
– En cherchant les mots dans mon manuel.
– Tiens donc? Et comment ça se fait, alors, qu'avant tu avais peur? Tu n'y avais pas encore songé, à ton manuel?
– Ce n'est pas tout à fait ça. Mais le fait d'avoir crié sans problème « Au secours! Police! » dans un cas d'urgence – au milieu d'un incident international, ne l'oublie pas –, eh bien, figure-toi, ça m'a donné confiance. (Elle eut un sourire qui se voulait avisé.) Et je n'ai pas l'intention de laisser qui que ce soit essayer de me flanquer la frousse. Voilà.

Bettina eut le bon goût de baisser ses yeux de belette.

Cependant, durant cet échange, un grand conciliabule s'était tenu en hâte un peu plus loin, dans un angle de la salle.

Et c'est alors que Peter, se détachant du groupe des conspirateurs, brandit quelque chose à bout de bras. Peter avait été l'instigateur et le responsable du « concours de pronostics Tante Yvonne »; il avait, dès le début, parié sur l'absence de Tante Yvonne à Gênes, ne s'en était jamais caché, et faisait donc partie, à présent, des heureux gagnants destinés à se partager la cagnotte. Il secouait bien haut une boîte à bonbons dans laquelle cliquetait un trésor de menue monnaie.

– Mesdames, mesdemoiselles, messieurs, annonça-t-il à la cantonade. J'ai l'honneur et le plaisir de remettre ici même, à l'intrépide et redoutable voyageuse que voici, le montant de la « cagnotte Tantine » que les heureux gagants lui offrent à l'unanimité, avec toute l'expression de leur estime. Mesdames et messieurs, je vous présente Maggie, la seule et unique gagnante de la « cagnotte Tantine » !

Les protestations de Maggie disparurent aussitôt sous les éclats de fanfare déclenchés par les Dingues, doublés d'une avalanche d'applaudissements et de cris : « Ouais! Ouais! » et aussi « Bonne chance, Maggie! »

Les règles de la courtoisie la plus élémentaire interdisaient, après cela, de refuser le présent, et Maggie l'accepta donc, derrière un rideau de larmes d'émotion.

Après quoi, elle dut accorder une danse à toute une flopée de cavaliers tour à tour – John et Peter et Kenneth et

Pietro... Elle fut très fière de constater que John n'avait dansé, en tout et pour tout, qu'avec Alice et elle. Peter dansa avec Doris. Tout le monde dansa, ce soir-là, tout le monde, sauf Jasper. Et encore, tout à la fin, même Jasper finit par se jeter dans la mêlée générale lorsque, joignant les mains, ils se lancèrent tous – avec plus ou moins de grâce et de sens du rythme – dans une farandole endiablée qui serpenta autour de la salle jusqu'à épuisement complet du souffle des danseurs. Et Jasper, apparemment, y prit le même plaisir enivré que tout le reste de l'assistance.

Quand tout fut fini, les Dingues lancèrent à la cantonade un cordial « ciao! » qui se prononce à peu près « tchi-a-ho » (sauf qu'il faut tâcher de tout loger dans une seule syllabe) et qui est – d'après ce qu'affirma Bettina – l'un des adieux favoris de toute la jeunesse européenne, en Italie ou ailleurs.

Et toute la discothèque-dancing, durant un bon moment encore, résonna de « ciao! » lancés tous azimuts.

Au fond, ça avait été la soirée d'adieux spéciale « jeunes adultes », en toute intimité, et parfaitement improvisée.

Mme Stone, Jasper et Maggie firent une dernière petite balade sur le pont avant de gagner leurs couchettes. La lune badigeonnait la mer d'une large bande argentée qui se perdait à l'horizon.

Ils allaient d'un bon pas, Mme Stone, comme toujours, allongeant allégrement la jambe, l'allure ferme et décidée. Personne ne disait mot. Lorsque, ayant fait le tour, ils allèrent s'accouder un instant au bastingage pour contempler l'eau sombre et le ciel étincelant, Mme Stone demanda soudain à Jasper :

– Jasper, à ton avis, cette étoile si brillante, là, au bout de mon doigt, c'est bien Arcturus ?

Jasper ne répondit pas et Maggie, à sa grande horreur, comprit qu'il ne pouvait pas répondre.

Jasper pleurait en silence.

Mme Stone s'en était aperçue aussi. Elle laissa passer un moment, puis elle reprit :

– Dans ta famille, on ne manque pas d'argent, n'est-ce pas, Jasper ?

Maggie retint son souffle. Quelle drôle de question à poser, et indiscrète par-

dessus le marché! Connaissant Jasper... Allait-il exploser?
– On y est gras à lard, ouais! répondit Jasper.
– Bon, eh bien, il y a des avantages, dit Mme Stone. Je ne vois pas de raison, par exemple, pour que tes parents refusent, si je le leur demande, de t'envoyer me rendre visite, pour les vacances de printemps, disons? Les plantes, le jardinage, les jardins, y connais-tu quelque chose?
– Rien.
– Parfait. Je t'apprendrai. C'est que j'aurai besoin d'aide, moi, dans mon nouveau chez-moi. Songe un peu, produire soi-même ses propres fruits, sous le soleil de la Méditerranée! Vous n'imaginez pas combien il me tarde de cueillir *mes* abricots sur *mes* espaliers.
– Et Jasper aura du champagne, lui aussi, le matin? voulut savoir Maggie, verte d'envie.
– Sûrement pas. Mais du lait de chèvre, tout tiède encore.
– Beuh..., commentèrent en chœur Jasper et Maggie.

Puis Jasper s'éclaircit la voix.

– Oui, je crois bien que c'est Arcturus. Oui oui, j'en suis même sûr.
– Merci... Tu comprends bien, Jasper, que j'aurai besoin de toi pour des quantités de raisons, et pas seulement pour du jardinage...

De retour à leur cabine, Maggie s'était lavé les cheveux et Mme Stone l'aidait à placer les rouleaux destinés à les rendre lisses, lorsque Maggie déclara soudain :
– Le pauvre. Je n'ai pas l'impression que ça lui sourie tellement, l'idée de rentrer chez lui.
– Non. Pauvre, pauvre Jasper.
– Croyez-vous qu'un jour il s'y sentira bien, dans cette famille?
– J'en doute.
– C'est terrible.
– Non. Du moins, pas nécessairement. Ce n'est pas toujours un désastre que de grandir en opposition avec son milieu. Ce qui est terrible, par contre, c'est d'en souffrir comme le fait Jasper. Je pense qu'il est persuadé qu'être mal adapté à sa famille signifie nécessairement qu'on s'adaptera mal à tout le reste du monde. J'espère pourtant que ce voyage lui aura fait entrevoir qu'il n'en est rien, et que la

vie à la maison lui en paraîtra plus supportable. Seigneur! Quel voyage, mes amis! Dire que par exemple, en ce moment même, je suis en train de poser des rouleaux sur une tête d'enfant, et que je m'en tire honorablement, qui plus est! Encore que, je te l'avoue, je ne comprenne pas très bien pourquoi vouloir défaire ces jolies ondulations naturelles... Ah! tu vas me manquer, Maggie... Mais... je passerai quelques jours à Florence d'ici quelque temps. Certainement ta tante Yvonne voudra-t-elle te montrer Forence; peut-être alors pourrions-nous mettre sur pied des retrouvailles là-bas? Surtout que, d'ici là, tu seras devenue une voyageuse tellement aguerrie, et qui n'aura plus peur de rien, que tu pourrais sans doute faire le trajet seule s'il le fallait, si jamais...

Elle ne termina pas sa phrase; elle était peut-être déjà allée un peu loin.

Maggie elle-même préféra ne pas approfondir l'hypothèse suggérée.

– Ai-je vraiment l'air de n'avoir plus peur de rien? demanda-t-elle simplement.

– Mais oui. Ou presque.

– Parce que ce n'est pas tout à fait le cas.

J'ai encore un tout petit peu peur à l'idée de voyager seule. Seulement, je crois que quand on prend goût à l'aventure on en oublie d'avoir vraiment peur.

Comme le bateau, cette nuit-là, naviguait à pleine vitesse pour atteindre Gênes dans les délais fixés, le concert de craquements, de grincements et de gémissements qu'il donnait en permanence n'en était que plus sonore que jamais. Tout en écoutant cet assemblage de sons disparates, désormais familiers, Maggie se plut à songer à la transformation qui s'était opérée en elle. Mais elle n'avait pas l'intention d'examiner la chose de trop près : peut-être l'amélioration constatée n'était-elle pas très solide encore; mieux valait l'accepter de bon cœur, sans trop chercher à l'analyser.

A mieux y réfléchir, pourtant, elle arrivait à la conclusion que sa confiance toute nouvelle était née de tout ce qui *n'*était *pas* arrivé : le bateau n'avait pas coulé (en touchant du bois – sur un bateau, c'est vite fait – on pouvait désormais espérer qu'il n'allait pas le faire d'ici à Gênes); il n'avait pas été frappé par la foudre, ni pris dans un ouragan; et ses cheveux, finalement, n'avaient pas trop frisotté.

Là-dessus, elle avait fait quelques rencontres : un collectionneur de tableaux ne renâclant pas à la fraude, un policier d'Interpol, mais surtout, surtout, une authentique vieille dame et un authentique passager clandestin, qui resteraient tous deux ses amis.

Si ce n'était pas là ce qu'on appelle « élargir ses horizons »!...

Le sommeil commençait à la gagner sérieusement, et la dernière chose qu'elle entendit, déjà dans un état second, ce fut la voix de Mlle Hinkley : « Maggie, qui a sillonné les mers, va nous expliquer à présent pourquoi un bateau bruyant est forcément un bon bateau... »

Et voilà. Maggie, voyageuse au long cours, est maintenant dans le train, un train dont il est certain, sans l'ombre d'un doute possible, qu'il se rend à Venise (Italie.) Ou du moins qu'il s'y rendra, sitôt qu'il se sera mis en route.

Elle est un peu essoufflée. Et c'est tout

à fait normal. Grimper dans ce train, ce n'était rien; mais pour y arriver, quelle galopade! Il a fallu commencer par quitter le bord...

Il y avait d'abord eu des « ciao! » à n'en plus finir, des embrassades en quantité industrielle (avec toute la bande des « jeunes adultes », tous les copains, les deux Ricardo, des flopées d'autres). Tout ce monde était désormais lié, lié par ces liens très spéciaux qui se forment imperceptiblement entre compagnons de traversée... Jasper et elle, sans doute, avaient été les seuls à ne pas s'embrasser. Ils étaient montés une dernière fois à leur poste de guet, et puis s'étaient serré la main. Maggie avait ravalé ses larmes. Mais bien sûr ils s'écriraient, et d'ailleurs – qui sait? – peut-être un jour se reverraient-ils, Dieu savait où, Dieu savait quand...

La dernière vision qu'elle emportait de lui, c'était l'image d'une frêle silhouette, de dos, un chapeau colonial sur la tête, s'éloignant au côté d'un membre de l'équipage; Jasper allait prendre l'avion qui le ramènerait chez lui.

Et puis, une dernière fois, Mme Stone

et elle s'étaient étreintes en silence, très fort, dans leur cabine – et pourtant, visiblement, Mme Stone n'était pas coutumière des grandes embrassades éplorées. Puis elles étaient toutes deux convenues qu'elles avaient échangé d'excellents souvenirs et que, par conséquent, comme Wystan Hugh Auden*, elles ne voyaient pas trop pourquoi on faisait tout ce battage autour d'un fossé qui n'existait pas.

Après quoi Maggie était passée de mains en mains.

Stella, la femme de chambre, l'avait d'abord confiée au douanier italien du port (qui n'avait pas même ouvert son sac). Le douanier à son tour l'avait confiée à un porteur du quai, qui l'avait confiée à un chauffeur de taxi, qui l'avait confiée à un autre porteur – un porteur des chemins de fer celui-là; et c'est ainsi qu'elle s'était retrouvée dans ce train. Tous ces divers intermédiaires étant des Italiens bon teint, il leur était facile de se transmettre à tour de rôle l'instruction essentielle : Maggie était censée prendre un train pour Venise.

* W. H. Auden : écrivain américain (1907-1973).

Au fond, ça n'avait pas été compliqué; un peu essoufflant, simplement.

Et maintenant Maggie est... mais oui, elle est toute seule dans ce train. Il est superbe, le train. Merveilleusement européen. On le sent fait pour des voyages à travers des contrées inconnues, dans de magnifiques paysages, et en plus Sam n'est pas là pour revendiquer la place près de la fenêtre, sur cette moelleuse banquette.

A la vérité, Maggie n'est pas si seule. Déjà, dans son compartiment, viennent de prendre place deux religieuses à la cornette exotique et un couple de hippies avec un bébé hippie et une guitare. Ils sont tous un peu hors d'haleine eux aussi, et personne n'a encore dit mot, si bien que Maggie ignore quelle langue parlent ces divers citoyens. Mais son manuel d'italien est là, tout prêt, sur ses genoux, et ouvert à la page « Si vous prenez le train », qui n'est par bonheur pas très loin d'une autre page fort utile, « Comment vous faire des amis en Italie ». (Maggie mijote d'entrer en conversation avec ce tout petit hippie; il a l'air adorable.)

USCITA

Voilà, voilà, voilà. Maggie, voyageuse au long cours, vient de prendre une large aspiration. Une page se tourne, une autre s'ouvre... sur la grande aventure...

Mais qu'attend-il donc pour s'ébranler, ce train, pour s'élancer vers Venise? Et relancer l'aventure...?

Table des matières

Cet
ouvrage,
le soixante-seizième
de la collection
CASTOR POCHE,
a été achevé d'imprimer
sur les presses de l'imprimerie
Brodard et Taupin
à La Flèche
en septembre
1983

Dépôt légal : octobre 1983
N° d'édition : 11684. Imprimé en France
ISBN : 2-08-161785-4